D1098139

5/09

MI AMIGO EL VAMPIRO 1

El descubrimiento de Giulio

MI AMIGO EL VAMPIRO 1

El descubrimiento de Giulio

Louise Leblanc

Ilustraciones de

Philippe Brochard

Títulos originales de la serie Leonard: *Le tombeau mystérieux*
Deux amis dans la nuit
Le tombeau en péril
Cinéma chez les vampires

Traducción: Francisco Moreno García

Para España y todos los países de habla hispana de América Latina
comercial@editorialmarenostrum.com
www.editorialmarenostrum.com

ISBN: 978-84-92548-00-2
Depósito legal: CO-1060-2008

Imprime: Taller de Libros, S.L.

La tumba misteriosa

1

¡Vuelve, Leonardo!

Esta noche he tenido un sueño de lo más loco.

Yo estaba en las alturas, muy por encima de la tierra. Y contemplaba a unas criaturas luminosas que se divertían por el cosmos.

Lo más delirante de todo fue cuando logré atrapar a una de ellas por las patas. Para hacerlo tuve que despegar a la velocidad de un cohete. ¡Fue super alucinante!

Después, las criaturas luminosas se fueron apagando... y yo me desperté. Os prometo que me sentí fatal: como si fuera un cometa caído del cielo.

Sin embargo, tengo la sensación de que hoy va a pasar "algo". ¡Ojalá sea cierto!

Mi vida hasta ahora no puede ser más monótona. Yo la comparo con una inmensa rebanada de pan. O con un desierto. O, peor aún, con un enorme

desierto formado por una inmensa rebanada de pan blanco, sin una sola gota de mermelada en el horizonte.

Todos los fines de semana, ya sé de antemano lo mucho que me voy a aburrir. ¡Papapocha, cuánto me gustaría tener un amigo!

–¡LEONARDO! ¡El desayuno está servido!

¡Esa es mi madre! Estoy seguro de que me ha preparado "un buen tazón de gachas". Y yo detesto las gachas.

–¿Vienes ya, Leonardo?

¡Ese es mi padre! Estoy seguro de que va a proponerme ir a jugar al fútbol. Y yo detesto el fútbol. Siempre acabo recibiendo un balonazo en plena cara.

–Te he preparado un buen tazón de gachas, cariño.

–...chas gracias, mamá.

–¿Qué tal si jugamos luego un partidito de fútbol, campeón?

–Nooooo... esperaba otra cosa, papá.

Creo que mejor me olvido de mi sueño. No parece que hoy vaya a ser el día en que despegue de mi rebanada de pan y viaje por el espacio en compañía de las estrellas errantes.

–No vais a tener tiempo de jugar al balón –dice de pronto mi madre–. Esta mañana vamos a visitar al abuelo.

–¿Salimos de viaje? ¡Super magnífico!

–¿Pero qué estás diciendo, Leonardo? ¡El cementerio está a sólo cinco minutos de casa!

¡Me había olvidado del abuelo que está en el cementerio! Soy un cometa que acaba de estrellarse por segunda vez. Un cometa que está a punto de explotar. ¡Me siento furioso! Tanto, que les digo a mis padres:

–Tengo dos abuelos, y al que visito más a menudo es al que está muerto. ¿Os parece eso normal? ¡Además, por si queréis saberlo, no me gusta jugar al fútbol y odio las gachas!

–¡LEONARDO! ¡LEONARDO, VUELVE!

Ya pueden gritar todo lo que quieran, que yo me largo de casa. ¿Es que lo hacen aposta o qué? ¡Ir al cementerio! ¡Me voy a aburrir como un muerto! ¡Papapocha y recontrapapapocha!

De pronto veo el balón de mi padre. ¡No sabéis la manía que le tengo! Lo agarro con las manos y

le atizo un patadón como no le han dado otro en su vida.

En ese preciso momento sale mi padre de casa.

El balón despega y planea por el aire, él sí que tiene suerte... Luego, desaparece.

–Ya puedes ir a recuperar el balón, Leonardo. PORQUE SI NO...

Cuando mi padre no menciona el castigo que me reserva, la cosa se puede poner realmente seria...

2

¡Ábreme, Orasul!

He tenido que buscar durante horas el "querido" balón de mi padre! Y al final lo he encontrado... en la entrada del cementerio. Lo he llevado a casa, y luego he tenido que volver al cementerio con mis padres. ¡Papapocha, qué dura es la vida!

Limpiar la tumba de mi abuelo. Arrancar las malas hierbas. Plantar flores. ¡Ese es el programa de mi día de fiesta! ¡Ya estoy hasta el gorro y me voy a dar un paseo!

Poco a poco me alejo de mis padres, silencioso como un... muerto. Por todas partes hay tumbas, tumbas y más tumbas. ¡Pensar que hay personas a quienes les dan miedo los cementerios! Me preguntó por qué. ¡No existe en el mundo un lugar más amuermante!

¡Guau! ¿Qué monumento será ése?

Parece un castillo. Y hay una gran escalinata con una barandilla formada por... calaveras. ¡Parece el decorado de una peli de terror! ¡Es super alucinante!

Me decido a subir los escalones. Sobre la puerta del panteón hay grabada una inscripción:

Orasul e hijos.
Si perteneces a mi sangre,
puedes entrar.

Ese tal Orasul debía ser un memo. ¡Yo mismo puedo entrar si quiero! En el estado en que se encuentra, no creo que sea él quien me lo impida.

Sin embargo, no hay ningún picaporte en la puerta. Ni siquiera una cerradura. Es muy extraño... Quizá haya una llave secreta en... ¡las calaveras!

Bajo la escalinata tratando de hacer rodar los cráneos, uno tras otro. Pero sin éxito: no se mueven ni un milímetro.

Vuelvo a subir y examino la puerta de nuevo. Nada. Y tampoco hay nada alrededor. Tal vez sea suficiente con empujar... Pues no, tampoco lo consigo. ¡Este asunto empieza a irritarme! Así que decido llamar a golpes:

–¡Toc! Toc! ¡Toc! ¡Orasul, ábreme! ¡Toc! ¡Toc! ¡Toc! ¡Yo... soy de tu sangre!

No puede ser... la... la puerta se ha movido. Está chirriando y está... abriéeeeendose. Un vientecillo glacial se escapa del interior de la tumba y me deja paralizado por un instante, hasta que vuelvo a sentir el calor del sol.

La puerta está ahora abierta de par en par. La luz solar ilumina la entrada de la tumba. Pero el interior permanece hundido en las tinieblas.

Avanzo un poco... Mi corazón comienza a acelerarse, y al poco rato me parece como si bajara dando tumbos hasta mis calcetines. Siento temblar hasta los dedos de mis pies. ¡Papapocha, esto significa que tengo miedo!

Sí, tengo miedo. Pero eso es porque estoy solo. Si estuviera con un amiguete, me haría el valiente y le diría: "¡Hay que ser gallina para tener miedo de unos esqueletos! Lo que es a mí, me dan risa".

Pero lo cierto es que no me río en absoluto. Para darme valor, me imagino que estoy acompañado por... Yannick Berubé, el matón de mi clase. Con él es imposible discutir, porque siempre te sacude antes. Pero ahora imagino que he crecido veinte centímetros y que le digo en plan fanfarrón:

"Te atreves a entrar o qué, Berubé. ¡No me digas que te dan miedo los muertos! ¡Siempre he dicho que no eras más que un papapocha!"

"¡Pues tú tienes tanto miedo como yo, Bolduc! Si quisieras entrar, ya lo habrías hecho."

"¿Se te ha ocurrido eso a ti solo, Berubé? ¡Vaya, eres menos bobo de lo que pensaba!"

"¿Pues quieres saber lo que pienso, Bolduc? ¡Pienso que te estás haciendo pis en los pantalones!"

"Voy a entrar, Berubé. Pero en cuanto salga, te voy a sacudir de lo lindo y te voy a mandar a hacerle compañía a ese Orasul."

Bueno, después de este diálogo imaginario creo que tengo el depósito de valor casi al máximo. Así que sin darle más vueltas me decido a entrar en la negrísima tumba.

Al momento, se oye un ruido: ¡CLANG!

¡La puerta! ¡Ha sido un portazo! ¡Ha sido el canalla de Berubé! Pero qué digo... Si él no está aquí. De hecho, nadie sabe dónde estoy...

El pánico se apodera de mi cuerpo y de mi mente. No soy más que un inmenso temblor.

Acabo de darme cuenta de que estoy atr... atrapado.

3

Jurado y escupido: ¡ptfff!

No! La puerta no se ha cerrado del todo. Hay algo de luz. ¡UF! Dos pequeños puntos luminosos que… parpadean. ¡Que parpadean! ¡Pero… entonces son dos OJOS! ¡Ay, papapocha, qué miedo! Estoy a… punto de… hacerme… pis… en los pantalones.

–¡No tengas miedo! No soy un muerto. Soy un chico como tú –dice una voz muy serena.

Pero dos ojos tan luminosos son imposibles. No pueden ser… humanos.

–Comprendo que tengas miedo. Pero, créeme, no soy tan espantoso. Y me gustaría hablar contigo.

–Yo… yo… yo…

La verdad es que también quisiera poder hablar, pero no lo consigo. Además, ¿por qué me advierte de que no es TAN espantoso? ¿Y si es un muerto que no se ha mirado en el espejo desde hace muchísimo tiempo?

–Ahora voy a encender mi linterna –dice la voz con tono tranquilizador.

De pronto un círculo de luz me da en plena cara. Luego la luz baja al suelo e ilumina los pies de la voz. Tiene dos, y también dos piernas, y un cuerpo bastante normalito. Ahí la luz deja de subir. Como si la voz dudara antes de iluminar su rostro.

Se trata seguramente de alguien horripilante, o cuando menos... extraño. La voz quizá sea la de... ¡un extraterrestre!

–Si eres un extraterrestre, puedes mostrarte –le digo–. Ya he visto montones de ellos en la televisión.

La voz se echa a reír, al tiempo que ilumina su cara. Se trata de un ser muy… humano. Incluso diría que es guapo. También es muy blanco. Casi luminoso.

¡Mi sueño! ¡Es la criatura luminosa de mi sueño! Sólo que ahora no estoy soñando, sino que estoy hablando con alguien en el interior de una tumba. Con alguien que estaba aquí antes de que yo entrara.

–¿Qué estás haciendo en la tumba de Orasul? –le pregunto–. ¿Eres tú quien ha abierto la puerta y luego la ha cerrado? Pero, antes que nada, ¿quién eres? Yo soy Leonardo Bolduc.

–Yo me llamo Giulio.

–¿Giulio qué más?

–Giulio… ehhh… Antes de decírtelo, tendría que explicarte algo…

–Ahora no tengo tiempo, mis padres me esperan. ¡Pero puedes venir conmigo!

–No, no puedo.

–¿¿Por qué??

–Porque... yo... estoy esperando a mis padres. Se fueron hace dos días.

–¿Estás esperando aquí desde hace dos días? Eso no es posible. ¿Me tomas por idiota o qué? Me parece que te has pasado. ¡Ábreme la puerta!

–¡NO! ¡NO TE VAYAS! ¡TE LO RUEGO!

Una lágrima rueda lentamente por la cara de Giulio. De pronto me siento inseguro. Está muy claro que Giulio tiene miedo.

–Es... es que debo marcharme –digo tartamudeando–. Si no, mis padres empezarán a buscarme y... y podrían venir aquí.

Giulio apaga su linterna. Me doy cuenta de que estoy en lo cierto: tiene miedo y se esconde. Pero ¿por qué?

–Tienes que prometerme que volverás antes de la noche. Y que no le hablarás de mí a nadie. Prométemelo –me suplica Giulio.

–Haré algo más gordo. Te lo voy a jurar. Jurado y escupido: ¡ptfff!

Parece que la voz de Giulio se aleja cuando le oigo decir:

–¡Hace tanto tiempo que espero un amigo!

Luego pasan algunos segundos antes de que una luz brille a mis espaldas. Es la puerta que acaba de abrirse.

Vuelvo a caminar por el cementerio con la cabeza llena de preguntas. ¿Quién es Giulio? ¿Por qué espera a sus padres dentro de una tumba? ¿De dónde ha venido? Nunca le había visto por aquí. Y, sobre todo, ¿cómo pudo abrirse la puerta tras de mí?

En el momento de salir de la tumba el sol iluminó su interior: y Giulio ya no estaba allí. ¿Por dónde se fue? La puerta es la única salida, y todo lo que hay dentro de la tumba son unos bancos de piedra adosados a los muros. He aquí un auténtico misterio...

–¡Vaya! ¡Aquí estás! ¿Dónde has ido?

¡Mis padres! Tendré que contarles el rollo de que...

–El viento se llevó mi gorra. La he encontrado en la otra punta del cementerio.

Mi padre parece enfadado:

–No te has quedado ni un segundo con nosotros en la tumba del abuelo. No ha sido muy amable de tu parte.

–Al abuelo eso le da igual. Está muerto.

Ahora mi padre está aún más enfadado y dice que no tengo sentimientos.

En el camino de vuelta no digo ni una palabra. Y sigo sin decir ni pío durante la comida.

Es necesario que encuentre alguna forma de volver al cementerio. Pensando en Giulio, de golpe me he dado cuenta de que el pobre no habrá comido nada desde hace dos días. ¡Esa es la razón de que estuviera tan pálido! Y me parece volver a ver la lágrima que se deslizaba por su mejilla...

–Leonardo, hijo, parece que estás un poco apenado. ¿En qué estás pensando? –me pregunta mi madre.

–Si es en el abuelo –dice mi padre–, me alegra ver que...

¡El abuelo! ¡He ahí una buena excusa para ir al cementerio!

–Tienes razón, papá. No me he portado bien con él esta mañana. Creo que voy a volver a visitarlo.

Mi padre está tan sorprendido que se atraganta con el postre. Mientras trata de tragar de nuevo, aprovecho que no puede hablar para decir:

–¡Voy a ir ahora mismo! Me comeré el postre por el camino.

Y sin más, agarro una manzana y una naranja (para Giulio) y me escapo a toda mecha. Aún tengo tiempo de oírle decir a mi madre:

–En el fondo, Leonardo es un chico estupendo.

Me agrada saber que mi madre tiene esa opinión de mí.

Me monto en mi bicicleta y enfilo hacia el negocio de Marius. Es una caravana-restaurante donde puedes comprar unas patatas fritas estupendas, pues nunca están pochas, ni chungas, ni blandorras. Quiero que Giulio las pruebe.

Con las patatas bien calentitas en mi mochila, me pongo a pedalear a toda velocidad. Y cuando más lanzado estoy… ¡papapocha, aparece Berubé! ¡Acabo de verlo en su bici a través de mi espejo retrovisor!

4

¡Las patatas o la vida!

Acelera, Leonardo! ¡Acelera!

Es increíble, pero estoy pedaleando más rápido que nunca. No creo que pueda mantener este ritmo durante mucho tiempo. Y en mi retrovisor veo cada vez más cerca a Berubé.

Va a atraparme. Es matemático: tiene una bicicleta dos veces más grande que la mía. Después de la próxima curva, hay un pequeño terreno arbolado que da a la parte trasera del centro comercial. Tomo el camino que lo atraviesa con la esperanza de despistar a Berubé.

De pronto tengo la sensación de estar en medio de un terremoto, y es por la cantidad de baches y de montículos que hay. Mi retrovisor tiembla de tal forma que no me devuelve ninguna imagen. Me resulta imposible saber si Berubé todavía me sigue.

¡Wouwouwouiiiiiiiii!

Pues sí, Berubé me sigue. Está tocando su bocina para que me entere. Y también para aterrorizarme.

¡Wouwouwouiiiiiiiii!

Trato de enviar todas las fuerzas que me quedan a mis rodillas. ¡Pedalea, Leonardo, pedalea! ¡Un último giro de rueda y listo! Desemboco en el aparcamiento del centro comercial, que está abarrotado.

¡Yupi! ¡Me he escapado de Berubé! Aquí no puede hacerme nada. Estoy de lo más contento; qué digo contento, estoy eufórico.

Ahora veo aparecer a Berubé. Rueda lentamente, con una sonrisa pintada en su cara de rata. Mi alegría comienza a enfriarse. Sé que no me va a dejar en paz. Y él sabe que ya no tengo fuerzas para iniciar otra carrera.

Tengo que pensar. Desde que he visto a Berubé detrás de mí he sido incapaz de hacerlo y sólo he tenido una idea fija: salvar el pellejo. Ante el peligro, las piernas funcionan, pero el cerebro no.

Detengo mi bici un poco más lejos, de modo que pueda ver a Berubé en mi retrovisor. Está apoyado contra la pared del supermercado, cerca de la puerta de repartos a domicilio. Desde allí puede espiar cualquier movimiento que yo haga.

Los minutos transcurren a paso de tortuga. ¡Y Giulio me está esperando! Me rogó que volviera antes de la noche. Puede que mañana sea ya demasiado tarde para ayudarlo. O tal vez se haya ido y no le vuelva a ver nunca más. Y todo por culpa de ese bestia...

Le echo un nuevo vistazo a mi espejo. Un camión acaba de cruzar y borra la imagen de Berubé. Un instante después el camión llega junto a mí y efectúa una maniobra para retroceder justo hasta la puerta de repartos.

¡Esta es mi oportunidad! En pocos segundos, el camión obstaculizará la visión de Berubé.

Elevo un pedal en posición de arranque. El camión se para. ¡Y yo salgo pitando!

Acelero entre las filas de coches. Doy la vuelta a la primera esquina del edificio… la segunda… ahora salgo del aparcamiento bordeando la pared del centro comercial.

Cuando llego a la calle, freno un poco. Si quiero despistar a Berubé…

¡Wouwouwouiiiiiiiii!

¡Papapocha! Berubé ha llegado hasta la calle cruzando por la zona arbolada y ahora me bloquea el paso. En clase es un completo zoquete, pero a pillería y astucia no hay quien le gane. Cuando se propone fastidiarte, se las sabe todas.

–¡Tengo hambre, Bolduc!

Ahora, por ejemplo, ¿cómo sabe que llevo comida en mi mochila?

–¡Vamos, Bolduc, quiero tus patatas fritas!

–¿Qué… qué… patatas?

–No te pases de listo conmigo. Te he visto en la caravana de Marius. ¡Venga, las patatas o la vida, Bolduc!

Berubé avanza hacia mí dando bufidos. Paralizado por el miedo, no dudo en darle mi mochila. Él se abalanza sobre ella, se apodera del paquete de patatas fritas y luego le da la media vuelta y la tira al suelo. Las frutas que había guardado para Giulio ruedan por la calle hasta que llega un coche y las aplasta.

Berubé engulle mis patatas con glotonería. Yo tengo la sensación de que es mi corazón lo que está masticando. Ya no tengo nada para darle a Giulio. Para consolarme, me digo que quizá las patatas estaban blanduchas.

Me agacho a por mi mochila, siempre vigilando la reacción de Berubé. Pero él sigue comiendo como un animal que devora a su presa. Espero que con esto haya quedado contento.

Me instalo sobre mi bici y comienzo a rodar lentamente. Al cabo de un rato miro hacia atrás: Berubé no se ha movido. Ahora ruedo un poco más deprisa.

¡¡¡¡¡¡¡¡¡¡¡Wouwouwouiiiiiiiiii!

La bocina de Berubé vuelve a sonar, pero ahora el ruido se aleja. Ha debido de partir en dirección contraria y sólo ha querido asustarme de nuevo, igual que un león que se va dando rugidos para dar a entender que es el amo y que sigue merodeando por los alrededores...

5

¿Hablas con los muertos, chiflado?

Para llegar hasta el cementerio he dado un montón de rodeos. Con Berubé nunca se sabe. Llego a la entrada en plan "sprinter".

Un señor mayor me pega al instante una buena bronca:

–¡Esto no es una pista de carreras, jovencito!

¡Papapocha! A este paso, no voy a poder llegar a la tumba de Orasul. Tengo que pensar algo rápidamente para salir del paso. El señor mayor está con su mujer, que parece todavía más mayor que él. Y, según tengo comprobado, con las personas de la... tercera edad lo mejor es ser educado y cortés.

Así que me bajo de la bicicleta y, como un buen chico, le digo:

–Excúseme usted, señor. No me había dado cuenta de que rodaba tan deprisa.

–Además está prohibido montar en bicicleta en el cementerio –protesta la señora.

Pero yo sigo en mi papel de buen chaval:

–No sabía que estaba prohibido, señora. Dejaré aquí mi bicicleta y la recuperaré cuando vuelva.

No obstante, la pesada de la señora está en plan desconfiado y me pregunta:

–¿Y tú dónde vas, si puede saberse?

–Sí, señora, claro que puede saberse –le digo con mi tono más impertinente–. Voy a visitar la tumba de mi abuelo. ¿O es que también eso está prohibido?

¡Lo de ser un buen chico tiene sus límites! ¡Y después de haber esquivado a la bestia parda de Berubé, no es cuestión de que dos momias me impidan ir a ver a Giulio!

Los he dejado plantados, pero noto que me vigilan. Ahora estoy obligado a dirigirme a la tumba de mi abuelo. Pero una vez allí, no sé muy bien qué hacer.

–Eh... ¿qué tal, abuelo?

¡Le estoy hablando a un muerto! ¡Esto sí que es super chungo!

Sin embargo, de pronto tengo la sensación de que el abuelo me escucha. Igual que cuando yo era pequeño e iba a contarle mis penas. Así que, sin pensármelo dos veces, le digo:

–He venido a encontrarme con un chico que se esconde en una tumba. ¡En la tumba de Orasul, seguro que la conoces! Pero me he detenido aquí porque hay unos señores que me están vigilando.

Ya sé que esto no puede ser, pero el caso es que yo escucho cómo el abuelo me responde:

"Puedes reanudar tu camino, ésos ya se han marchado."

Enseguida miro detrás de mí y... ¡Papapocha, las dos momias han desaparecido! Aún no he tenido tiempo de asombrarme, cuando mi abuelo vuelve a hablarme:

"¡Espabila, Leonardo! ¡El camino está libre!"

–¡Gracias, abuelo!

Al pronunciar estas palabras, pienso en Berubé. Si estuviera aquí, seguro que se habría burlado:

"¿Hablas con los muertos, chiflado? ¡Tú debes tener corrientes de aire en el cerebro!"

"Pues tú no eres más que una bestia parda, Berubé. Y hablando de cerebros, ¿te has preguntado alguna vez por qué naciste sin él?"

Eso es exactamente lo que yo le contestaría.

¡Y no deja de ser cierto! Berubé es demasiado tocho para comprender que los muertos comprenden cosas que los vivos no pueden comprender. No sé si se comprende lo que quiero decir con tanto comprender...

En cualquier caso, no va a ser él quien me impida hablar con quien yo quiera, así que me despido diciendo:

–Luego vendré a contarte lo que ha pasado, abuelo.

6

¡No... no me asustes, Giulio!

Estoy en el interior de la tumba. La oscuridad es total. No hay ningún signo de vida, con excepción de un aire glacial que me está empezando a rozar y que parece enroscarse lentamente alrededor de mi cuerpo. Como si fuera una serpiente que sube y sube...

Respiro con dificultad. Y ni siquiera puedo pensar. En mi cabeza, una vez más, me parece escuchar la voz de Berubé: "Estás chiflado. Giulio no existe. O se ha reído de ti".

No puedo aguantar más y grito:

–¡ABUELO! ¡AYÚDAME!

–¡Estoy aquí! Deja de gritar.

¡PLAF! Un círculo de luz me ilumina toda la cara. Y un momento después se traslada a la cara de Giulio.

–Soy yo, Leonardo. ¿Estás bien?

La verdad es que no estoy seguro de estar bien. De repente, Giulio me da miedo. Está aún más blanco que esta mañana. Y sus ojos son más brillantes.

–Has dudado de mí, Leonardo. Por eso has tenido miedo. Voy a probarte mi amistad revelándote un secreto muy peligroso.

–¡No... no me asustes, Giulio!

¡Clic! La tumba de pronto se ha iluminado. La luz procede de algunos proyectores disimulados detrás de los bancos de piedra. Al verme en plena claridad, Giulio exclama:

–¿Qué te ocurre, Leonardo? Estás bañado en sudor. Y tienes una pinta muy extraña.

–Es que he tenido problemas cuando venía hacia aquí. Yo también debo afrontar peligros... Si conocieses a Berubé, lo comprenderías.

–¿Le has hablado de mí a ese Berubé? –dice Giulio asustado.

–¡No tengas miedo! No le he hablado a nadie de nuestro encuentro. Ahora has sido tú quien ha dudado de mí, Giulio.

–Es verdad. Pero se acabó. Creo que, en adelante, podemos confiar el uno en el otro.

Giulio me da su linterna, que se parece a un mando a distancia.

–Aprieta el botón blanco –me dice.

¡CLIC! Estamos otra vez en la oscuridad. ¡CLIC! Vuelve la luz.

–¡Es super alucinante! ¡Y ahora lo entiendo! ¡Con esto abres y cierras la puerta de la tumba!

–Exactamente. Y ahora pulsa el botón verde.

¡P... pa... pa... po... cha! El asiento de uno de los bancos se desliza silenciosamente y deja ver una escalera. Bajamos por ella hasta una cueva vacía. Giulio vuelve a tomar el mando a distancia y pulsa otro botón. Enfrente de nosotros, una parte del muro gira sobre un eje y descubre tras ella... ¡un apartamento! ¡Con sus muebles y todo!

–Aquí es donde vivimos mis padres y yo.

–¡Vivís bajo tierra! ¡Es increíble!

–Sólo salimos de noche. Y nadie debe conocer este lugar secreto. Eso podría ser fatal para nosotros.

–¿Fatal? ¿Qué quieres decir?

–Que sería el fin, la... la muerte para todos nosotros.

–¡Papapocha, es terrible! ¡Hay alguien que os quiera matar! Pero ¿quién? ¡Ya sé! ¡Un enemigo de tu padre! ¡O tal vez... la policía! Pero ¿por qué? ¿Es que sois bandidos? ¿O espías? ¿O peligrosos as... asesinos?

–¡Nada de eso! Tienes que creerme, porque tengo... aún tengo miedo de confesarte la verdad.

Miedo de perder al único amigo que he tenido jamás.

–Si eso te tranquiliza... a mí me pasa lo mismo.

–¡Pero tú no tienes un único amigo! ¡Tú vives durante el día! ¡Tú vas a la escuela!

–Te equivocas, en la escuela sólo tengo compañeros. Pero ni un solo amigo. Hacía mucho tiempo que esperaba tener uno.

Durante algunos segundos no decimos nada más. Los ojos de Giulio brillan como estrellitas felices. Como las criaturas luminosas de mi sueño. Tengo la impresión de haberme reunido con Giulio en el cosmos.

¡Bip! ¡Bip! ¡Bip!

Un sonido nos devuelve a la realidad. Es el timbre de un teléfono. Giulio contesta nerviosamente, y cuelga enseguida.

–Eran mis padres. Volverán esta noche.

–¡Y yo que creía...! Te había traído comida, pero...

–Tengo todo lo que necesito, Leonardo. Y será mejor que no vuelvas hasta que yo te lo indique. Si mis padres descubren tu existencia, querrán irse de aquí. Tengo que prepararlos para...

–Puedes decirles que soy un buen chico. Mi madre lo repite todo el tiempo.

–Mientras tanto, dime dónde vives.

–En la casa baja que está en el extremo del lago.

–Ya sé dónde es. No te preocupes, encontraré un medio de ponerme en contacto contigo. Jurado y... eh... escupido: ¡ptfff!

Pero Giulio no tiene costumbre de escupir. Es divertido verlo, y él también lo encuentra divertido. Así que por primera vez nos reímos un buen rato juntos. ¡Ha sido súper!

7

¡Papapocha! Mi amigo es un...

Ha pasado una semana y no he sabido nada de Giulio. No dudo de su palabra, pero estoy preocupado.

No quisiera perder a Giulio. Nunca me había sentido tan a gusto con nadie. Me acuerdo de él todo el rato. Y trato de comprenderlo...

Sus padres ya habrán regresado. Y, además, no puede salir durante el día. Tal vez lo intentó y fue atrapado. Pero no, él no cometería semejante imprudencia. Eso sería muy peligroso para su familia.

A veces creo que no volveré a ver a mi amigo durante mucho tiempo. Es duro, pero peor aún debe de ser para Giulio. Encerrado bajo tierra...

–¡LEONARDO BOLDUC! ¡Vuelva usted a la superficie terrestre!

¡Papapocha! Mi profesor ha adivinado dónde estaba.

–En la luna no va a aprender usted matemáticas.

¡La luna! Me siento más tranquilo. El profe no sospecha nada. Pero es super chungo conocer un secreto que puede resultar fatal.

Procuro escuchar atentamente al señor Rondeau hasta que acaba la clase. Pero en cuanto suena la campana del recreo, vuelvo a acordarme de Giulio.

–¡Bolduc! ¡Vuelve a la tierra! ¡En la luna no vas a aprender a pelear!

¡Es Berubé el que se burla! Y ahora viene hacia mí. No hay forma de estar en paz. ¡Esto ya empieza a hartarme!

–Me estoy cansando de ti, Berubé. Ya sé que eres un poco memo, pero seguro que entiendes esto: o me dejas tranquilo o te sacudo.

¡Me ha salido sin pensar! Le he dicho a Berubé lo que me venía al pensamiento. Ahora me va a machacar... ¡Pero no! Resulta que mi audacia lo ha dejado... con la boca abierta.

El resto de la jornada transcurre sin problemas. Berubé aún debe estar digiriendo la sorpresa. Cuando llego a casa, pongo mi mejor cara de buen chico y le digo a mi madre:

–¡Buenas tardes, mamá! No te molestes por mí. Voy a buscar algo de comer y me encierro en mi habitación.

–De acuerdo, cariño. Hasta luego…

Mi madre ni siquiera ha alzado los ojos de su mesa de dibujo. Tiene que hacer un trabajo urgente: un montón de ilustraciones de productos para bebés. Así que dispongo de tiempo suficiente para poner en práctica mi plan.

Entro en mi cuarto y al momento ya estoy saliendo por la ventana. Ahí me está esperando mi bicicleta.

En el cementerio no hay prácticamente nadie, pero aun así, avanzo lentamente. Mi corazón empieza a latir más deprisa a medida que me aproximo a la tumba de Orasul.

"¡No vayas, Leonardo!"

¡Papapocha, es mi abuelo! ¡He pasado junto a su tumba sin pensar que iba a hablarme!

–Sólo quiero estar cerca de Giulio, abuelo. Voy a andar un poco alrededor de la tumba para ver si se da cuenta de mi presencia.

"Te dijo que él se pondría en contacto contigo, Leonardo. Sólo él sabe cuándo puede hacerlo sin peligro."

De pronto, me doy cuenta de mi imprudencia y me voy del cementerio, tras darle las gracias al abuelo. Pero tengo el ánimo por los suelos. Soy como un cometa… apagado.

–¿No tienes hambre, Leonardo? ¿Estás preocupado por algo? –me preguntan mis padres en la mesa.

Decido comer un poco para evitar que siga el interrogatorio. Después juego un rato al fútbol con mi padre y recibo, adrede, el balón en plena cara. Varias veces. Hasta que mi padre, desanimado, interrumpe el partido.

Por fin puedo ir a refugiarme en mi habitación. Antes le doy las buenas noches a mi madre. Ella levanta la cabeza de su mesa de dibujo y me envía un beso. Eso me da bastantes ánimos, pero vuelvo a enfriarme cuando me encuentro solo. Es como si tuviera la cabeza llena de corrientes de aire. Mis pensamientos vuelan completamente desordenados:

Giulio. Asesino. ¡Bang! ¡Ábreme, Orasul! Estoy cansado. Berubé va a matarme. ¡Abuelo, ayúdame! Soy de tu misma sangre. ¡Bang! ¡Bang! Giulio, ¿quién eres? Yo… estoy fatigado… Con… contésta… me…

Soy el fantasma del cementerio. El rey de los muertos. ¡En pie, esqueletos! ¡Bang! Vamos en busca de Leonardo. Ha llegado su hora. ¡Bang!

"¡No! ¡Dejadme! ¡Me estáis haciendo daño con vuestros huesos! Dejadme..." ¡Papapocha, qué sueño más espantoso!

¡Bang! ¡Bang! Los ruidos de mi pesadilla todavía resuenan. ¡Bang! ¡Bang! ¡Bang! Pero no… ¡son golpes que están dando en mi ventana! ¡Es Giulio!

Me levanto de un salto. Abro la ventana. No hay nadie. Sin embargo, estoy seguro de que… ¡UN PAQUETE! Hay un pequeño paquete en el borde de la ventana. Rápidamente desgarro el envoltorio. Es… un casete. Giulio me envía un mensaje grabado.

Un minuto después, mi dedo tembloroso pulsa la tecla "Play" de mi grabadora:

Leonardo, confío en ti, porque sé que nunca revelarás mi secreto. Pero si no quisieras volver a verme, lo comprendería…

Si decides seguir siendo mi amigo, sólo tienes que poner un objeto visible en tu ventana la próxima noche.

Bueno, ahí va. Yo me llamo Giulio Orasul y vivo en esta tumba desde siempre, porque aquí la luz no puede penetrar. No salgo durante el día por una sola razón: la luz del sol me mataría. Y es que yo…, Leonardo…, soy un… un vampiro.

¡Pa... pa... po...cha! ¡Giulio es... un vampiro! ¡Mi amigo es un vampiro! ¡No puede ser cierto!

Escucho de nuevo el mensaje. No se trata de una broma. La voz de Giulio es demasiado seria. Y, al mismo tiempo, tan débil... Vuelvo a ver la lágrima deslizándose por su cara tan blanca.

Pienso que alguien que llora, aunque sea un vampiro, no puede ser peligroso. Además, Giulio ha arriesgado su vida por mí. Es el mejor amigo que he tenido nunca. Y puede que tengamos que

atravesar muchos obstáculos, pero creo que nada podrá separarnos.

Mi decisión está tomada. Busco un objeto bien visible. Ya sé: mi calabaza fosforescente. Es perfecta.

La pongo en la ventana. Son las cuatro de la madrugada y aún está oscuro. Si Giulio vuelve a pasar por aquí, tendrá mi respuesta antes de mañana.

Me vuelvo a acostar pensando que mi vida ya nunca será como una rebanada de pan. Ahora tengo un amigo vampiro. ¡Es super alucinante!

Mañana sin falta iré a contárselo todo al abuelo.

Dos amigos en la noche

El mensaje de Leonardo

Han pasado tres semanas.

Mi amistad con Giulio es un hecho. El problema es que no podemos quedar para vernos. Giulio no sale nunca durante el día porque la luz del sol lo mataría. Además, nuestra amistad es un secreto. Si otras personas descubrieran la existencia de Giulio y su familia, su seguridad estaría amenazada.

Hemos empezado a comunicarnos a través de mensajes que depositamos en la tumba de mi abuelo. En su última nota, Giulio me informa que sus padres van a estar fuera durante dos días.

¡Es una ocasión para encontrarnos! Rápidamente le he enviado este mensaje:

Mis padres van a salir mañana por la noche. Te invito a venir a mi casa. Escóndete en el jardín de

atrás a eso de las 7 y cuarto. ¡Te prometo una velada alucinante!

Leonardo.

1

¡Giulio! ¿Dónde estás?

Las siete y media! ¡Papapocha, qué angustia estoy pasando! Creo que mis padres no se van a ir nunca. Es la primera vez que me dejan solo en casa, y mi madre está muy preocupada.

–¡Sobre todo no abras la puerta a nadie!

–Pero mamá, ¿quién va a llamar? Todo el pueblo estará reunido en el ayuntamiento, igual que vosotros.

–El vecino vendrá dentro de una hora –me advierte mi padre–, para asegurarse que no te ha pasado nada.

¡El vecino! ¡Mi reunión con Giulio se va a pique!

–¡No creo que pille ninguna enfermedad de aquí a una hora! –protesto–. ¡Y además no quiero que venga el vecino a contarme otra vez sus batallitas!

–¿No será que has invitado a alguien? –sospecha de pronto mi padre–. ¿A un compañero de clase?

–¿Un compañero de clase? No, qué va. He invitado a... ¡Un vampiro! ¡Para ver si se come al vecino!

Me río por dentro de mi propia osadía. Pero no hay peligro de que mis padres me crean. Por otra parte, continúan recitándome la lista de consejos y advertencias.

Nada de patatas fritas. Ni de chocolate caliente. Que no se me ocurra jugar con cerillas. Ni organizar una batalla de barcos en la bañera. Y bla, bla, bla.

Yo les aseguro que no tengo hambre, que no tengo frío, y que el único líquido con el que entraré en contacto es el agua... embotellada. Jurado y escupido: ¡ptfff!

Esto último no les ha gustado y me cae una leve reprimenda por mis malos modales. Pero, por fin, deciden marcharse.

Después de que el coche sale del garaje y desaparece de mi vista al final de la calle, voy corriendo a mi habitación y abro la ventana.

–¡Giulio! ¿Dónde estás?

No hay respuesta. ¡Pero Giulio debería estar aquí ya! Igual no ha encontrado mi mensaje. ¡Eso sí que sería frustrante!

–¡Giulio! ¡Giulio!

–¡Chis! ¡Estoy aquí, Leonardo!

Giulio sale de detrás del abeto que está plantado al borde del estanque. Avanza a toda velocidad y da un salto hasta el alféizar de la ventana. Está temblando.

–No tengas miedo –le digo–. No hay nadie en casa.

–Es ahí fuera donde he pasado miedo.

–¿Por qué? ¿Te ha seguido alguien? ¿Te han visto?

–¡Varias personas! ¡A pesar de que es de noche, estaba aterrorizado!

–Lo comprendo.

–Los que somos diferentes creemos que todo el mundo nos mira. Temía que alguien me descubriera, como si llevase la palabra VAMPIRO escrita en la frente.

–Lo importante es que estás sano y salvo. Y que estamos juntos.

–Tienes razón. Es nuestra primera reunión –dice Giulio dándome un abrazo.

Siento que su corazón va al galope. Pero no de miedo, sino de felicidad. Igual que el mío.

–Voy a enseñarte toda la casa. Así podrás pasearte por ella con el pensamiento cuando estés encerrado en la tuya.

¡DING DONG! ¡DING DONGGGGG!

¡Papapocha! ¡No puedo creer que sea ya el vecino!

2

¡Obedece! ¿O quieres que te machaque?

A Giulio le entra tanto miedo que quiere irse ya. Tengo que asegurarle que el señor Pommier no va a entrar, en ningún caso, en mi habitación.

–¡Me libro de él y vuelvo enseguida! ¡Espérame! ¿Prometido?

–Jurado y escupido: ¡ptfff! –me dice con una débil sonrisa.

Pobre Giulio. No tiene nada de divertido ser un vampiro. Ser... diferente.

Miro la hora en mi reloj: las ocho y cinco. El vecino viene antes de lo previsto. Pues si tiene la intención de colarse dentro...

¡DING! ¡DONG! ¡DING! ¡DONG!

¡Me parece que se está pasando el muy peñazo!

–Oiga, señor Pommi... Papapo...

–Hola, enano.

–¡Be... Be... Berubé!

Berubé, uno de los grandullones del colegio, es un bruto que sólo se divierte pegando y fastidiando a los pequeños. Por desgracia, últimamente la ha tomado conmigo.

Antes de que consiga salir de mi estupor, Berubé ha entrado en la casa y cerrado la puerta.

–Para que veas que me acuerdo de ti, Bolduc. ¿Sabes lo que he pensado? Pues que te estarías aburriendo, tú solito, en esta casa tan grande.

–¡No... no estoy solo! ¡Tengo una canguro!

–¡Ja, ja, ja! ¡De eso nada!

–¿Cómo que no? Te digo que...

–¡No te pases de listo conmigo! Tu madre ha telefoneado a la mía para ver si ella sabía de alguna. Y era su última oportunidad de encontrar a alguien. ¡A ver si te metes bien en el coco que yo lo sé TODO sobre ti, Bolduc!

¡Papapocha! ¡Berubé es capaz de haber descubierto mi secreto! Ha seguido a Giulio y sabe que está aquí... ¡Un momento! No... Cree que estoy solo. Tranquilo, Leonardo.

Berubé cruza el vestíbulo y entra en el salón.

–No está mal tu casa, enano. Seguro que también tienes una bonita habitación. Llena de cosas que podrían interesarme...

¡Mi habitación! ¡Tengo que evitar como sea que entre! ¿Y... y si le dijera que hay un vampiro? No. Sería inútil. Se lo tomaría a broma. Además, en este caso sería el vampiro quien tendría miedo de Berubé...

–¡Pero antes llévame a la cocina!

Me quedo clavado de la sorpresa. Berubé debe pensar que no quiero hacerlo, porque enseguida me gruñe:

–¡Obedece! ¿O quieres que te machaque?

Este cambio me hace respirar de alivio. Pero intento disimularlo y voy con él a la cocina como si le tuviera miedo. Bueno, tampoco tengo que fingir mucho: le tengo miedo, esa es la pura verdad.

–Ahora quiero algo para entrar en calor.

–¿Entrar en calor? ¡Imposible! He prometido a mi madre que no voy a calentar nada. Ni siquiera chocolate.

–¡Ja, ja! ¡Siempre me haces reír, Bolduc! ¡Por eso te aprecio tanto! ¡Ja, ja!

–¿Es que he dicho algo divertido?

–¡Así que no puedes calentar nada! ¡Ja, ja, ja!

No logro comprender por qué este borrico se retuerce de risa. Mientras lo hace, aprovecho para mirar la hora: las ocho y veinte. Dentro de diez minutos estará aquí el vecino. Debo mantener a Berubé en la cocina hasta entonces.

–¡No quiero comer, so memo! ¡Lo que quiero es beber!

–Ah, bueno. Entonces puedo darte... eh... leche...

–¡Ja, ja, ja! ¡Leeeeche, ha dicho! ¡Ja, ja, ja!

¿Pero de qué se ríe ahora? ¡Bueno, la cosa va bien! Ríe, ríe, pedazo de inútil. Mientras ríes el tiempo va pasando.

–¡Así que leche! Dime una cosa: ¿tú estás mal de la cabeza? ¿Desde cuándo la leche sirve para entrar en calor? ¡Anda, quita de ahí!

Berubé me aparta de un empujón y abre el frigorífico. Son las ocho y veintiséis.

–¡Aquí hay de todo, sí señor!

Berubé agarra una cerveza y se sienta poniendo las piernas encima de la mesa. Luego destapa la botella. Yo no salgo de mi...

–Estás asombrado, ¿eh, pequeño? Cuando tengas mi edad...

Berubé tiene catorce años. Se cree un hombre, pero no es más que un idiota que está empezando a arruinar su salud. Me dan ganas de decirle que si sigue así se va a morir joven, pero sólo serviría para que se ría más de mí.

Y el caso es que no me importaría que se muriera muy joven, aquí, en este mismo instante, a las... ocho y veintinueve.

–Por cierto, Bolduc, últimamente vas mucho al cementerio. Te he visto.

–Yo... voy a visitar la tumba de mi abuelo.

–Así que vas a visitar a un muerto todos los días... ¿Es que me tomas por imbécil, Bolduc? ¡Tú vas allí por otros motivos!

Berubé se levanta. ¡Hay que ver lo grande que es el muy...! Retrocedo unos pasos al tiempo que echo una mirada a mi reloj. ¡Son las ocho y media!

¡Venga usted a la hora, señor Pommier! ¡Se lo ruego! ¡Nunca más diré que es usted un peñazo! ¡Escucharé con gusto sus batallitas! ¡Pero llame ya! ¡LLAME YA!

¡DING! ¡DONG!

–¿Eh? ¿Quién puede ser? –dice Berubé alterado, soltando su cerveza.

Al verle tan asustado, me envalentono y hasta me permito un toque de chulería:

–Es mi canguro, Berubé. Mi canguro macho, para ser exacto. Porque es el señor Pommier, el antiguo policía. ¿Lo conoces?

–¿Pomm... Pommier? ¿No es un tipo viejo?

–Sí, un viejo alto. Y bastante fuerte.

–¡Puag! No me gusta tener trato con la policía...

Berubé abre la puerta de la cocina que da al jardín. ¡Espero que a Giulio no se le haya ocurrido esconderse ahí fuera!

–Volveremos a vernos, Bolduc –gruñe Berubé–. Y no digas una palabra de mi visita si no quieres...

Después de que ha salido, me armo de valor y le digo:

–¡Siempre me harás reír, Berubé! ¡Pero ahora lárgate!

Según lo veo alejarse me pongo a temblar. Ahora soy consciente del peligro del que acabo de escapar.

¡Ding dong! ¡Ding dong!

3

¡Es tan azul, Leonardo!

La verdad es que debería recibir al vecino con los brazos abiertos. Pero tengo que pensar en Giulio. A nuestra reunión cada vez le queda menos tiempo. ¡Al ataque, Leonardo!

–Verá usted, señor Pomm...

–¿Por qué has tardado tanto en abrir?

–Yo... estaba dormido en mi habitación.

–Yo también –dice el vecino entrando en casa.

Está tiritando. Y lleva puesta una bata. ¡Papapocha! ¡Viene a pasar aquí la noche!

–Les he prometido a tus padres pasarme por aquí, pero no voy a poder quedarme. Me parece que estoy enfermo.

–¡Enfermo! ¡Eso es súper! Eh... super malo, quiero decir.

–¿Va todo bien? Pareces algo nervioso.

–¿Nervioso? ¡Ah, sí! Es que yo soy muy nervioso. Es mi temperamento, eso es lo que dice mi madre.

–Bueno. Voy a volver a acostarme.

–¡Eso es lo mejor! Quiero decir, lo mejor para usted, señor Pommier.

¡Por fin se ha ido! ¡Yupi! Voy corriendo a mi habitación y... ¡Giulio no está!

Oigo un crujido. La puerta del armario se abre lentamente y... Giulio aparece. Como un fantasma, se desliza hasta mi cama. Y se sienta:

–¡Menuda reunión! –resopla–. ¡Si no me muero de miedo, será un milagro!

–El vecino ha ido a acostarse, pero Berubé cree que sigue en casa –lo tranquilizo–. Ya no vendrá nadie más.

–¿Estás seguro? Porque si oigo otra vez ese "¡DING! ¡DONG!", mi corazón va a hacer ¡CATACLING! ¡CATACLONG!

Nos echamos a reír los dos a carcajada limpia. Parece mentira que podamos reír tanto por una bobada semejante, pero a veces hacer el ganso resulta muy saludable.

De pronto, paro de reír en seco: ¡son las nueve menos cuarto! Y Giulio debe irse dentro de tres cuartos de hora.

–Tenía un regalo para ti, pero es muy tarde para... En fin, al menos voy a darte un poco.

–¿Un poco de regalo? –me pregunta.

Agarro a Giulio y lo llevo hasta el salón.

–Hay muchas puertas en tu casa –observa–. ¡Y qué grande es! ¡Y esa ventana del fondo es inmensa! Se ve...

Giulio se calla de golpe. A mí me entra el pánico. ¿Será que ha vuelto Berubé?

–¿Qué? ¿Qué has visto?

–¡Todo! Los árboles, el lago. Es como si la naturaleza entrara en la casa. ¡Y de día debe ser aún más bonito!

¡Uf! Respiro tranquilo.

–Te envidio –dice mi amigo con voz triste.

–Lo sé, Giulio. Desde que te conozco comprendo la suerte que tengo de vivir en libertad. De gozar de las cosas, incluso de las más sencillas. Esta noche quería regalarte algo de todo eso.

Le enseño un vídeo a Giulio. Es un documental con paisajes bellísimos.

–Quiero regalarte el color, Giulio. Para que conozcas algo distinto al gris de la noche. El verdadero color de las cosas como tú nunca lo has visto. El color del día.

–No debería verlo –dice Giulio asustado–. Mis padres no quieren que lo haga. Dicen que es para

protegerme, para que no tenga la tentación de salir durante el día.

–¡Pero siempre tendrás sueños, Giulio! Eso tus padres no pueden impedirlo. Tú eres el que mejor te conoces a ti mismo. ¿Arriesgarías la vida a lo tonto?

Giulio duda. Le digo:

–Yo sueño que Berubé desaparece. Y con gusto lo estrangularía, pero no quiero echar a perder mi vida.

–De acuerdo –dice sencillamente Giulio.

Introduzco el vídeo en el aparato. El tiempo va disparado. Son ya las nueve y diez.

Dejo correr las imágenes y voy seleccionando las escenas que más puedan interesar a Giulio. Mi amigo guiña los ojos y luego se queda con la mirada fija y las pupilas muy abiertas.

En la pantalla se ve el mar y una montaña en penumbra. Una bola de fuego va escalando la pendiente de la montaña. Luego se separa y sube lentamente por el cielo, como un globo dorado.

–El sol –murmura Giulio–. Es un amanecer, ¿verdad, Leonardo?

–Sí, Giulio.

De improviso, Giulio cruza los brazos sobre su cara para protegerse del sol. Pero enseguida vuelve a bajarlos, consciente de la inutilidad de su gesto. Y sigue mirando.

Al elevarse, el sol desvela el azul del cielo y del mar, regalándole al día que nace toda la magia de su luz.

–¡Qué azules son el mar y el cielo, Leonardo! ¡Es increíble lo azules que son!

–¡Espera! Voy a enseñarte otras...

–¡No! Quiero volver a ver el sol y el amanecer.

Giulio, fascinado, mira fijamente la pantalla. Sus ojos se llenan de lágrimas y cambian de color, cada vez son más azules. Como si bebieran del mar.

Una gota de agua salada se desliza por la mejilla de mi amigo, y el brillo del sol se refleja en ella.

4

¡Leonardo! ¡Dime la verdad!

Durante un buen rato le muestro otros paisajes a Giulio, que se queda extasiado con cualquier destello de color. De pronto:

–¡Chis! Me parece que oigo un ruido... ¡Horror, es el coche de mis padres!

Giulio se ha quedado petrificado de terror. Lo tengo que sacudir para que reaccione:

–¡A mi habitación! ¡Rápido!

Giulio me hace caso. Yo apago el televisor y salgo al encuentro de mis padres. Estoy tan nervioso que me entra el hipo:

–¡Bue...hip... noch... hip... mamá!

–¿Todo va bien? –pregunta mi padre–. ¿Ha venido el señor Pommier?

–¡Sí, a la hora en punto! ¡Ha sido estupendo!

–Creí que no querías verlo.

–No, si casi no le he visto... hip... el pobre estaba enfermo.

–Pues tú tampoco tienes buena pinta. ¡Menudo hipo te ha entrado! Me parece que te has atiborrado a bizcochos.

–¡No he tocado los bizcochos! ¡Siempre me tenéis que acusar de todo lo malo!

–Vale. Te creemos. Pero ¿por qué estás tan alterado?

–Voy a calentarte un poco de agua con limón –dice mi madre–. ¡Ve a ponerte el pijama!

Según avanzo por el pasillo, giro la cabeza para ver si mis padres me siguen y...

¡Crock! Me doy un porrazo contra la puerta del sótano que está entreabierta. Magullado y dolorido llego a mi habitación. Está vacía. Giulio ha debido esconderse en el jardín.

Trato de abrir la ventana, pero tiene puesto el pestillo de seguridad. ¡Giulio no ha salido por aquí! Miro debajo de la cama, en el armario, en el baúl de los juguetes. Ni rastro de Giulio.

Se me han ido todas las ideas. Lo único que brota de mi cabeza es el chichón que acabo de hacerme

con... ¡la puerta del sótano! ¡Estaba medio abierta! ¡Papapocha, Giulio se ha equivocado!

Sin dudarlo, bajo la escalera que conduce al sótano:

–Sé que estás aquí, Giulio. Voy a cerrar la puerta con llave. Vendré a sacarte cuando mis padres se hayan acostado.

Una voz medio ahogada me responde:

–No me abandones, Leonardo.

–Jurado y escupido: ¡ptfff!

Me parte el corazón tener que encerrar a Giulio. Meto la llave en mi bolsillo y me dirijo a la cocina. Me siento más tranquilo. Parece que mis padres no sospechan nada.

–¡LEONARDO! ¡DIME LA VERDAD!

Un tremendo calor me envuelve de pies a cabeza, como si la sangre me estuviera hirviendo en las venas.

–¿Qué... qué verdad dices, papá?

–La única. No hay cuarenta verdades.

Aprieto la llave en mi bolsillo y me repito que mis padres no saben nada. No han podido ver a Giulio. Se trata de otra cosa. ¡De... de los bizcochos, tal vez!

–Os JURO que no he comido ni un...

–¡Deja en paz los bizcochos! –explota mi padre.

–No estás en tu estado normal –dice mi madre–. Y ya sabemos por qué.

Ahora soy yo quien explota. Es la única forma de disimular mi nerviosismo.

–¡Vosotros no sabéis nada! Me he golpeado contra...

¡Ojo! ¡No puedo hablar del sótano!

–Eh... una puerta me ha golpeado... y por eso no parezco normal...

–¿Y no será más bien a causa de ESTO? –pregunta mi padre con voz encolerizada.

¡La botella de cerveza! Ahora no sé qué decir. No puedo contarles a mis padres la visita de

Berubé, porque ellos telefonearían a su madre y mañana ese animal me machacaría.

–¡LEONARDO! Te he hecho una pregunta.

Le tengo más miedo a Berubé que a mis padres. Así que es mejor que cuente una mentira.

–Pues sí. He sido yo. Pero sólo quería probarla.

–¡Probarla! ¡Pues la has probado a conciencia! –ironiza mi padre–. ¡La botella está a medias y tú estás borracho!

–Pero, Leonardo –dice mi madre con la voz temblorosa–, tú, mi niño...

Las lágrimas me vienen a los ojos. ¡Esto ya es demasiado! Me levanto de un salto. Y al tiempo que grito "¡No estoy borracho!", me tropiezo con la silla y me caigo.

–Ve a acostarte, Leonardo. Tu madre y yo tenemos que meditar sobre... sobre todo esto.

Penosamente, vuelvo a levantarme. Y salgo de allí pensando que jamás en la vida había tenido tantos problemas.

5

¡Os vais a convertir en asesinos!

No sé qué decisiones habrán tomado mis padres, pero han estado hablando mucho rato. Al menos eso creo, porque a mí se me empezaron a cerrar los ojos y me parece que he dormido un poco. Ahora ya estoy completamente despierto.

No oigo nada. Es el momento de ir a rescatar a Giulio. Me levanto de puntillas y observo que algunos rayos de luz iluminan el suelo. Es extraño...

¿Extraño? La persiana de mi ventana también está atravesada por líneas luminosas. ¡No puede ser! Miro la hora: las siete y cinco.

He estado durmiendo toda la noche.

¡Oh, no! ¡Giulio! ¡Hay una ventana en el sótano! ¡Giulio debe de estar... muerto! Asesinado por la luz del día. Y... también por mí. Por mi culpa. Mi pobre amigo...

Temblando de angustia, vuelvo a acostarme. Tengo muchísimo miedo como para bajar al sótano. Todavía oigo la voz ahogada de Giulio diciendo: "No me abandones".

Siento una pena inmensa y me pongo a sollozar. Me meto debajo de las mantas para ahogar los... ¡Un momento! ¡La voz de Giulio!

Si la voz de Giulio sonaba como ahogada, es porque él estaba escondido dentro de algún sitio.

Seguramente en el armario empotrado. Allí no puede entrar la luz, así que... ¡tiene que estar vivo!

Vuelvo a levantarme sin hacer ruido y abro a medias la puerta de mi habitación. ¡Papapocha! Mis padres están en el pasillo. Mi madre lleva un cesto lleno de ropa sucia en las manos. Y no parece estar de buen humor:

–No entiendo por qué la puerta del sótano está cerrada. ¿Y dónde está la llave?

–Ya la buscaremos después de desayunar –dice mi padre–. No creo que sea tan urgente lavar todo eso.

–¡Pues sí que es urgente! –se impacienta mi madre–. Porque además de ésta, hay mucha más ropa que lavar. Y también quiero sacar algunos jerseys del armario empotrado. Ya está empezando a hacer frío.

–¡Está bien! –se rinde mi padre–. En la cocina hay un duplicado de la llave. Voy a buscarlo.

Siento como si se me encogiera el estómago ante el peligro que se avecina. Ya no hay escapatoria. Es la hora de la verdad o... de la muerte de Giulio. Tengo que salvarle.

Salgo de mi habitación con la llave del sótano en la mano. Le digo buenos días a mi madre y abro la puerta. A mi madre se le cae el cesto de las manos.

Mientras ella se repone de la sorpresa, bajo la escalera a toda velocidad.

Oigo los pasos precipitados de mi madre, y después los de mi padre. Están bajando... Por fin llegan, con cara de pasmados, y me descubren, con los brazos en cruz, delante del armario empotrado.

–¿Quieres explicarnos lo que pasa? –dice mi madre con voz de estar un poco harta.

–¡No podéis abrir este armario!

–¿Y eso por qué? –pregunta ella sorprendida.

–Es muy sencillo –le responde mi padre–. Porque ahí dentro hay alguien escondido.

Luego, mi padre me mira directamente a los ojos y dice:

–Ayer por la noche invitaste a un amigo y os pusisteis a beber cerveza. Cuando llegamos por sorpresa lo encerraste ahí para que no lo descubriéramos. Pensabas sacarlo más tarde, pero...

–¡Pero entonces el asunto es muy grave! –exclama mi madre–. Los padres de ese chico deben de estar angustiados. Abre esa puerta, Leonardo.

–¡No! ¡Se lo ruego! –grita Giulio desde el interior del armario.

Yo grito también. Grito la verdad como un desesperado:

–¡Sí, sí, tienes razón! ¡Invité a un amigo y lo encerré! ¡Pero lo encerré porque es un vampiro! ¡Si abrís esta puerta morirá a causa de la luz! ¡Y vosotros os convertiréis en asesinos!

Mi padre, abatido, se lleva una mano a la frente:

–¿Pero tú crees que nos vamos a tragar semejante historia? Esto ya se pasa de la raya, Leonardo. Apártate de ahí.

Sin pensar lo que hago, extiendo los puños dispuesto a todo. Mi madre detiene a mi padre, susurrando: "Nunca había visto a Leonardo en este estado. Tiene miedo de algo". Después se dirige a mí con voz amable:

–Siempre hemos discutido los problemas, ¿no? Debes tener confianza en nosotros. Y ahora dinos qué es lo que tú sugieres que hagamos.

Bajo los brazos y trato de pensar. Mis padres no me creen, así que el propio Giulio es el único que puede convencerlos. Les digo:

–Abriré la puerta del armario, pero antes cubrid con algo la ventana.

Echando pestes, mi padre se dispone a hacer lo que he dicho. Rompe una caja grande de cartón y, sirviéndose de unas tiras de papel engomado, tapa la ventana con una especie de panel. Luego enciende la luz y dice con tono muy seco:

–¡Ahora, abre esa puerta!

–¡Giulio! ¡Soy Leonardo! –digo en voz alta–. Puedes salir, ya no hay peligro. Jurado y escupido: ¡ptfff!

Abro un poco la puerta sin dejar de observar a mis padres. Tengo la impresión de que empiezan a creerme. Por lo menos han dado un paso atrás. Como si temieran ver aparecer quién sabe qué monstruo...

6

¡Así que era verdad!

Gracias, Leonardo –me dice Giulio saliendo del armario–. Has estado fantástico.

¡Giulio sí que es formidable! Camina hacia mis padres y les tiende la mano diciendo:

–Tengo mucho gusto en conocerlos.

–¡Para que veáis que es un vampiro! –exclamo–. ¡Ningún chico del colegio es capaz de hablar así!

–Vamos a discutir todo esto mientras desayunamos –propone mi padre con una sonrisa.

¡Papapocha! ¡Parece que mi padre no ha entendido nada!

–Yo no puedo salir ahora de este sótano –asegura Giulio.

Entonces mi madre agarra a mi padre por el brazo y se lo lleva a la fuerza hacia la escalera, mientras le dice:

–Ahora volvemos con el desayuno.

–Tus padres no nos creen –dice Giulio muy inquieto–. ¡Quizá hayan ido a llamar a la policía!

Mientras estoy tratando de tranquilizar a Giulio, vuelven mis padres con dos bandejas llenas de comida. Tienen una expresión bastante rara.

–¡A comer, chicos! Seguro que tenéis hambre después de tantas emociones.

Parece que Giulio se ha calmado un poco. Aprovecho para decirle:

–Háblanos un poco de ti, Giulio. De tu vida de... de vampiro.

Giulio nos cuenta que vive con sus padres en el cementerio, debajo de un gran panteón.

–Claro, claro –dice mi padre–. Y tu familia, ¿está allí ahora?

–Pues no. Mis padres han ido a ayudar a unos vampiros del pueblo vecino. Es que hay vampiros en casi todos los cementerios, ¿sabe usted?

–Más vampiros, claro, claro –repite mi padre, que no parece nada sorprendido.

–Tienes buen apetito, Giulio –observa mi madre–. Creía que los vampiros sólo...

–...beben sangre –finaliza Giulio riéndose–. Qué va, eso es cosa de las novelas.

–¿Y cerveza? –dispara mi padre–. ¿Bebes cerveza?

–Puedo ser un vampiro, pero no un idiota como ese Berubé –responde Giulio escandalizado.

Yo me atraganto con un pedazo de tostada. Ahora me veo obligado a confesarlo todo: la visita de Berubé, sus amenazas y mi mentira con respecto a la cerveza.

Mis padres siguen estando de lo más raro. No parecen contentos de que yo no me haya bebido la cerveza. Y no dicen ni una palabra acerca de Berubé. Parece que ya nada les sorprende.

Por fin le preguntan a Giulio:

–¿Volverías a tu casa si pudieras?

–¡Naturalmente! –exclama Giulio–. Mis padres van a telefonear al mediodía, y si nadie contesta van a estar muy angustiados.

–Tranquilo, que estarás en tu panteón antes del mediodía –afirma mi madre–. Ya hemos pensado en todo.

Mis padres se sonríen entre ellos. Parecen dos críos que preparan una travesura. Por el contrario, Giulio y yo parecemos dos padres preocupados. Cada vez me aclaro menos...

Giulio está tapado de la cabeza a los pies. Lleva guantes, gafas ahumadas y mi capucha de esquiar

que le oculta toda la cara. Y, además, va envuelto en una manta.

Según Giulio, la manta no hacía falta, pero mi madre ha insistido. Creo que se burla de nosotros:

–No hay que correr ningún riesgo –ha dicho–. ¡Ahora, en marcha!

Hemos subido al automóvil. Y ya de paso hemos comprado flores para la tumba del abuelo.

Giulio se pone un poco nervioso cuando llegamos al cementerio. Según caminamos, no hace más que mirar a todas partes.

Mis padres no se dan cuenta de la situación. Incluso parece que se están divirtiendo. Se detienen como siempre ante la tumba del abuelo, pero yo los animo a seguir:

–Ya dejaremos las flores al regreso –les digo.

Por suerte no hay nadie en las cercanías del gran panteón. Giulio da las gracias a mis padres y sube enseguida por la escalera que conduce a la entrada. Saca de su bolsillo una especie de mando a distancia y abre la puerta.

Yo subo detrás de Giulio y me reúno con él. Nos damos un abrazo.

–Amigo mío –me dice.

Me devuelve la manta y desaparece en el interior de la tumba. Cuando me doy la vuelta, veo que a mi madre se le han caído las flores del abuelo. Y que mi padre está pálido, más pálido que un... vampiro.

–¡Así que era verdad! –dice con un susurro–. Es un...

–...vam... vampiro –farfulla mi madre–. ¿Y lo demás? Berubé y sus amenazas, ¿será también cierto todo eso?

¡Ahora comprendo el comportamiento de mis padres! ¡No se habían creído ni una palabra de mi historia! Me habían seguido el juego para dejarme en evidencia, pero han caído en su trampa. No me extraña que se hayan quedado petrificados.

Después del *shock* que han sufrido, creo que mis padres no van a dormir mucho esta noche.

Por desgracia, yo tampoco. Mi madre ha telefoneado a la madre de Berubé y... ¡No quiero ni pensarlo!

Ya me veo triturado por ese bestia. ¡Papapocha!

La tumba en peligro

El mensaje de Giulio

Ha llegado el invierno. Después de nuestra aventura en mi casa, Giulio y yo hemos comprendido que debemos ser extremadamente prudentes a la hora de vernos. Para colmo, el frío y la nieve van a dificultar aún más nuestros encuentros.

Seguimos comunicándonos a través de mensajes que depositamos en la tumba de mi abuelo. Precisamente, en su última nota, Giulio parece muy asustado. Esto es lo que me dice:

Leonardo:

Tenemos que vernos urgentemente. Temo por nosotros. Creo que nuestra amistad está en peligro.

Por favor, Leonardo, ven a la tumba mañana sin falta. Te espero a las 2 en punto de la tarde.

Giulio.

1

¿De qué tienen miedo?

No he podido dormir en toda la noche, así que, en cuanto se ha hecho de día, me he levantado. En el exterior, el termómetro marca 30 grados bajo cero.

A lo largo de la mañana he estado imaginando toda clase de desastres. La tumba de los Orasul se ha resquebrajado. El frío ha hecho estragos y creo que voy a encontrar a Giulio dentro de un bloque de hielo. O quizá el sistema de calefacción se haya disparado y toda la familia se esté cociendo a fuego lento.

También puede ser que no tengan nada para comer. O tal vez…

–¡Leonardo! Si no te comes toda la carne ya te puedes ir olvidando de la tarta de fresa –me advierte mi padre.

Normalmente, esta amenaza tiene un efecto mágico que hace que crezca mi apetito. Pero hoy no estoy para pensar en tartas.

–Durante el invierno –añade mi madre– se necesitan muchas proteínas para combatir a los virus.

¡Los virus! Tal vez sea eso lo que teme Giulio. A los vampiros les deben de faltar proteínas para combatir a los virus. ¡Pues a mí no me van a invadir tan fácilmente! Los voy a triturar a golpes de solomillo, en su vida habrán visto tanta proteína junta.

Engullo, pues, lo que me queda en el plato de un tirón.

–¡Ya está! ¡Estoy atiborrado de proteínas! Listo para enfrentarme... eh..., quiero decir, para salir a andar un rato con los esquís.

Mientras me preparo para la salida, puedo oír lo que mis padres cuchichean:

–Leonardo parece preocupado. Seguramente es a causa de Giulio. Esta amistad con un vampiro es una cosa complicada.

–¡Vampiros que viven en el cementerio! ¡Es verdaderamente increíble! Por no decir... sospe-

choso. Quizá no deberíamos haberle prometido a Leonardo que guardaríamos el secreto. Podemos estar cometiendo una imprudencia.

–Por el momento, no hay peligro. ¡Los niños únicamente se escriben! Más adelante, ya veremos...

¡Por mi parte está todo decidido! No voy a decir nada a mis padres de los problemas de Giulio.

Y para atenuar un poco sus dudas, salgo de casa silbando.

En el cementerio, la nieve ha puesto gorros de dormir a todos los monumentos. Es como si quisiera decirles a los muertos que duerman tranquilos hasta la próxima primavera, pues en esta época nadie va a venir a visitarlos. En efecto, sobre la enorme e invernal sábana blanca no hay una sola huella. Sólo ahora mis esquís dejan un rastro alargado.

Me detengo ante la tumba del abuelo. Desde aquel día en que le hablé en voz alta y él me respondió, su voz continúa atravesando el tiempo y llegando hasta mí. Entonces hablamos los dos. Pero esta vez no ocurre nada de eso. Su espíritu debe de estar congelado. Así que sigo mi solitario camino entre las nevadas sepulturas.

A pesar de todo, procuro ser prudente. Paso de largo ante la tumba de los Orasul y doy unas cuentas vueltas para embrollar las huellas. Cuando vuelvo a ella, oculto los esquís bajo la escalinata que conduce a la entrada y subo los escalones muy pegado a la barandilla: de esa forma mis pisadas serán menos visibles. También evito tocar las calaveras que adornan la barandilla, pues todas están cubiertas de nieve.

Son las dos de la tarde en punto cuando entro en la tumba. Oscuridad y silencio. Y así durante un buen rato... De pronto empiezo a sentir miedo. Si Giulio y sus padres estuvieran muertos, ahí abajo...

Pero no. El banco de piedra empieza a girar y uno de los proyectores se enciende. Luego aparece Giulio, más pálido que nunca.

–Has venido –dice con tono agradecido.

–Soy tu amigo, tu amigo para siempre de los siempres.

Nos damos un abrazo. El cuerpo de Giulio está tan frío que a mí se me hiela el corazón de pura inquietud.

–¿Qué te ocurre? ¿Estás enfermo? ¿Necesitáis medicamentos? ¿Carne?

–¿¿¿Carne???

–¡Sí, para combatir a los virus! Yo os puedo traer...

–¡No, no! Aún no les he hablado de ti a mis padres. No es el momento.

–¿Y cómo has hecho entonces para encontrarte conmigo?

–¿Lo has olvidado? Ahora es como si fuera de noche para nosotros. La hora de dormir. De todas formas, creo que no ha servido de nada…

Giulio se interrumpe, parece que está a punto de echarse a llorar.

–¡Papapocha! ¿Qué es lo que no ha servido de nada?

–Ocultar nuestra amistad. Mi familia y yo… vamos a marcharnos.

–¿Que os vais a marchar? ¡Eso no puede ser! Pero ¿por qué? ¿De qué tienen miedo tus padres?

–De unas sombras nocturnas. Ya han venido dos veces. Y anoche intentaron entrar aquí. Ahora mis padres y yo no nos atrevemos a salir. Mi padre dice que tenemos que huir antes de ser descubiertos.

–¡Quizá se trate de otros vampiros! Estarán buscando una vivienda en el cementerio.

–En ese caso lo sabríamos. Nos conocemos todos. Es necesario ayudarnos mutuamente para sobrevivir.

—¿Y si fueran los espíritus de los muertos? Quizá tengan frío y vengan aquí a calentarse.

—Los espíritus de los muertos no fuerzan las puertas ni atraviesan las paredes. No, sin duda se trata de seres humanos que han intentado entrar aquí.

—Yo no he visto huellas de pasos.

—Porque después ha vuelto a nevar. Según mis padres, son ladrones. Quizá estén buscando un lugar discreto para esconder su botín. Lo más probable es que vuelvan a intentarlo.

De pronto me siento furioso.

–¡Pues no dejaré que unos ladrones roben nuestra amistad! –le digo a Giulio–. No os vais a marchar. Jurado y escupido: ¡ptfff!

2

¡Te tengo vigilado, Bolduc!

Acabo de dejar a Giulio. A pesar de la seguridad con la que he hablado, he visto que no tenía muchas esperanzas. Recupero mis esquís sin dejar de darle vueltas a la cabeza.

¿Quién podría ayudarme? ¿Mis padres? Según he oído antes, empiezan a estar hartos de los vampiros. Seguro que no van a enfrentarse con unos bandidos para ayudarlos. ¿La policía? Se pondría a registrar por todas partes. Es demasiado arriesgado…

¡Papapocha! ¡Las calaveras de la barandilla no tienen ni un copo de nieve sobre el cráneo! ¡Alguien ha venido mientras yo estaba con Giulio!

Miro a mi alrededor y no veo a nadie. Rápidamente, empiezo a deslizarme hacia la salida del cementerio.

"¡Leonaaaardo! Deteeeente…"

¡El abuelo! Si ha salido de su mutismo, es que ha ocurrido algo.

"Mííííírame, Leonaaaardo..."

–¿Que te mire? ¿Dónde? Yo no veo más que tu tumba... ¡También ha perdido su capa de nieve, como las calaveras! ¿Es que ha venido alguien aquí? ¿Para qué?

–¡Para comeeeerte a tiiii! ¡Grrr!

Dos enormes pies caen sobre mis esquís, dejándome clavado en el sitio. Son los pies de... Berubé, el matón de mi clase. Desde que se ganó una buena reprimenda por haber estado en mi casa bebiendo cerveza, me he convertido en su víctima preferida.

–Te veo menos bravucón que la última vez, Bolduc. Debe ser porque tu vecino, el señor Pommier, no está aquí para defenderte. ¡Ya te dije que volveríamos a encontrarnos!

Aunque Berubé no estuviera sobre mis esquís, tampoco podría moverme. Estoy paralizado de miedo.

–¿Des... desde cuándo me has seguido?

–¿Seguirte yo a ti, enano? ¡Como si tuviera tiempo que perder! Tenía cosas que hacer por aquí. He

visto las huellas de tus esquís y te he esperado para comprobar…

–¿Pa… para com… comprobar qué?

–¡Pues lo que acabo de ver! ¡Que vienes a visitar a tu abuelo y que le hablas! Tendrían que encerrarte por chiflado.

¡Puff, respiro de alivio! No me ha visto entrar en la tumba. De golpe, una pregunta me viene a la boca:

–Y tú, ¿qué es lo que haces en un cementerio en pleno invierno?

–Tengo trabajo, enano. ¡Trabajo de verdad! Es para un... profesor. Me he encontrado con él en los billares. Al parecer, está escribiendo una historia sobre los cementerios antiguos.

–¿Tú? ¿Trabajar tú en un libro? ¿Me tomas por idiota o qué? Si hasta en los cómics japoneses te parece que hay demasiado texto!

A pesar de lo que le digo, Berubé parece estar divertido. Y eso no es buena señal.

–Pues sí, yo hago las fotografías. Y espero no tener que sacar un día de éstos la foto de tu tumba.

Y, al mismo tiempo, me empuja contra la tumba de mi abuelo y se descuelga del hombro su Polaroid. Unos segundos más tarde, me entrega la foto que acaba de sacarme.

–Es un pequeño recuerdo. Para que no olvides que te tengo vigilado. Y, ahora, esfúmate, pedo seco.

Me largo a toda prisa, y sólo cuando llego a la puerta del cementerio me doy la vuelta para mirar. Berubé no me ha seguido. Al parecer, hablaba en serio y se dedica a fotografiar monumentos. Mejor así. Mientras esté trabajando no tendrá tiempo de meterse conmigo.

De todas formas, cuando miro la foto que me ha dado vuelvo a sentirme intranquilo. La cara que pongo en ella me recuerda hasta qué punto me aterroriza...

Entro en mi cuarto y me derrumbo sobre la cama, abrumado bajo una avalancha de problemas. Al llegar a casa, mis padres están preocupados por mi comportamiento y me someten a todo un interrogatorio.

Yo he jurado (y escupido) que no me ocurría nada. Lo he jurado por la memoria del abuelo. Como él ya está muerto, no puede pasarle nada malo. Y mis padres, por fin, me han creído.

La única víctima de esa mentira soy yo. Ahora me encuentro completamente solo para proteger a la familia de Giulio. Y para defenderme de Berubé. De rabia, tiro al suelo su foto. Y me parece oírle gruñir:

"¡Te tengo vigilado, Bolduc! ¡Para comerte a ti! ¡GRRR! Tu vecino no está aquí para defen..."

¡POMMIER! Él sí que podría ayudarme. Es un policía jubilado, y un apasionado de las novelas de intriga. Mi historia de ladrones seguro que va a interesarle. Pero si quiero convencerle de que actúe en este caso, tengo que prepararlo todo muy bien.

–Tienes demasiada imaginación, Leonardo.

–¡Había huellas de pasos por todas partes! ¿Es que no me cree usted?

–Según tú, unos ladrones estuvieron de noche en el cementerio. ¿Y para qué? ¿Puedes decírmelo?

–Para esconder su botín.

–¡Bah! Esto que me dices parece una novela.

–¿Y esto? ¿También es una novela? Sin duda se les cayeron…

Mientras lo digo, saco del bolsillo unas cuantas joyas y se las doy al señor Pommier. Las guardaba como último recurso. Las joyas son de mi madre: su collar de perlas y su mejor reloj de pulsera.

–Vaya… ¡esto no es bisutería! Puede que haya algo de cierto en tu historia. En todo caso, es intrigante.

–¿Entonces va a ayudarme a proseguir mi investigación?

–¿Cómo que tu investigación? ¿Es que crees que puedes enfrentarte tú solo a una banda de malhechores?

–No. Pero juntos podríamos montar la vigilancia algunas noches y descubrir dónde esconden las joyas. Luego, la policía no tendría más que arrestarlos.

–¿Están tus padres al corriente de esto?

–¡Por supuesto que no! No me dejarían salir de noche.

–Y con toda la razón. Es demasiado peligroso. Y no seré yo quien cargue con la responsabilidad de llevarte.

–¡De llevarme! Entonces usted... ¿va a investigar?

–No he dicho tal cosa. Primero tengo que reflexionar.

El policía jubilado tiene un extraño brillo en su mirada mientras examina las joyas. Está claro que no va a resistirse a la tentación de aclarar el misterio.

¡Y pensar que se trata de las joyas de mi madre! Antes de irme, intento recuperarlas, pero Simon Pommier no quiere entregármelas. Me guiña el ojo con complicidad y promete tenerme al corriente de sus pesquisas.

¡Me ha tomado por un idiota! ¡Pues claro que voy a estar al corriente! Como que pienso seguir su investigación paso a paso...

3

¡Te doy media hora!

Por ahora, todo va bien. Mi madre no se ha dado cuenta todavía de la desaparición de sus joyas. Y yo he tenido tiempo de escribirle un mensaje a Giulio:

No sigas preocupándote. Me he hecho cargo del asunto. Los ladrones serán arrestados. Hasta entonces, convence a tus padres de que os tenéis que quedar. Hazles ver que una mudanza es un lío tremendo. O inventa cualquier cosa. Confío en ti.

Leonardo.

Después he ido al cementerio. Berubé no andaba por allí y he podido depositar tranquilamente mi mensaje en la tumba del abuelo.

Creo que su espíritu ya chochea. Me ha repetido varias veces: "Mírame, Leonardo". Pobre abuelo...

Tras volver a casa, me he preparado para mi primera noche de investigación. Lo primero, fabricar un maniquí para que me sustituya bajo las mantas: algunos cojines y mi viejo oso de peluche servirán perfectamente. Si a mis padres se les ocurre echar un vistazo a la habitación, creerán que estoy ahí.

Me he bebido una botella de refresco de cola para mantenerme despierto. Según dicen, es un remedio tan eficaz como el café. Luego me he acostado completamente vestido.

¡A esto se le llama estar preparado!

En cuanto mis padres se queden dormidos, iré a vigilar la puerta del señor Pommier. Y cuando salga, no tendré más que seguirlo. Luego, según los acontecimientos, ya veré si debo intervenir o no.

¡Papapocha y super paparrepocha! ¡Me he quedado sopa! Hace falta ser memo... ¡El próximo que me venga con el cuento ése de la cola, me va a oír!

Durante el desayuno estoy de un humor de bulldog. Aprieto firmemente las mandíbulas y corto de raíz las preguntas de mis padres. Por último, les digo:

–Voy a ir al cementerio.

Por un instante, parece como si meditasen mi decisión. Por fin, mi madre me dice con un tono que no admite réplica:

–¡Te doy media hora!

Ese es el tiempo que se tarda en ir y volver. Pero es mejor nada. Conclusión: salgo pitando.

En el cementerio ni siquiera me preocupo por Berubé. De todas formas, no lo veo por ningún lado. Tampoco oigo ninguna nueva chochez del abuelo. Meto la mano en la urna y encuentro un mensaje de Giulio.

Me lo guardo para leerlo después en casa y emprendo la vuelta a todo correr. Dirección: el domicilio del señor Pommier. Quiero que me dé el primer informe.

En su casa, nuestro encuentro se desarrolla sin demasiada palabrería o *blablabla,* como si fuéramos dos auténticos agentes secretos:

–¿Fue usted al cementerio anoche?

–Sí. No ocurrió nada.

–¿Ningún sospechoso?

Lo digo pensando en Giulio, cuando fue a depositar su mensaje.

–Ninguno. Pero ya contaba con eso. Serán necesarias, sin duda, varias noches de vigilancia.

–Hasta mañana, entonces.

–Hasta mañana.

Se ha cumplido la media hora. Mi madre me sonríe. Estoy tentado de sucumbir a su sonrisa y contárselo todo. Pero me resisto. Tengo una misión que cumplir.

Me refugio en mi habitación para leer el mensaje de Giulio:

La decisión de mis padres es irrevocable. Nos vamos dentro de unos pocos días. No arriesgues tu vida inútilmente. Adiós... mi único amigo.

¿Adiós? ¿Quiere esto decir que no volveré a ver a Giulio? ¡No puede ser! Debo encontrar una solución. Aún me quedan unos pocos días para salvar nuestra amistad.

Lo cierto es que con el nerviosismo que tengo, seguro que esta noche sí que no me duermo.

4

¡Leonardo, mira detrás de ti!

Comienzo a oír unos crujidos de lo más siniestro. Es la casa que se queja de los mordiscos del frío. Mientras, yo me estoy asando vivo con toda mi ropa de invierno. Llevo una hora esperando, completamente vestido, vigilando la puerta del señor Pommier.

Decido quitarme el gorro de lana, los guantes y las botas. Uffff... Esto es otra cosa. Pero... un momento... ¡Papapocha, ahí va!

Me vuelvo a vestir a toda velocidad. Y cuando me lanzo hacia la parte delantera de la casa, tropiezo con una silla. ¡Alto! Afino el oído... No, mis padres no se han despertado.

Por la ventana veo pasar rápidamente a mi vecino. Espero unos segundos y salgo tras él. El viento parece que estuviera esperándome y casi me arrolla.

Mi indumentaria, empapada en sudor, me hiela la piel.

Pienso en Giulio, en su mensaje de despedida. Doy unas fuertes palmadas y paso a la acción.

Procuro seguir al señor Pommier a cierta distancia. Avanzo con breves carreras, ocultándome tras un árbol cada vez que me detengo. El antiguo policía llega al cementerio. De pronto aminora la marcha, y luego se vuelve de golpe. Yo desaparezco de su vista con la velocidad de un mago.

A partir de ahora se pondrá en estado de alerta. No debo precipitarme. Espero un poco... un poco más... ¡Ahora!

¡El señor Pommier ya no está! Tengo un acceso de pánico, pero enseguida me controlo. Puesto que está en el cementerio, no me será difícil encontrarlo.

Me ha parecido ver una sombra moviéndose. Me dispongo a seguirla, cuando una duda me detiene. ¿Y si no se trata de la sombra del señor Pommier, sino la de un bandido?

Solo, en medio de todas esas tumbas que proyectan una multitud de formas y siluetas, me siento paralizado. La angustia se apodera de mí, mientras

veo cómo, de pronto, la nieve se oscurece. Son las nubes, que han ocultado la luna. Oigo el ulular de una lechuza: es lo que me faltaba para aterrarme por completo.

Siento que el miedo se expande por mi organismo. Y es como un veneno que destruye mi cordura y mi prudencia. Echo a correr, sin más ni más, en dirección a la tumba del abuelo. ¡Como si él pudiera ayudarme...! Y menos ahora que chochea. Seguro que va a repetirme aquello de que le mire...

"¡Leonaaaardo! ¡Miiiiiira detrás de tiiiii!"

Antes de comprender que el abuelo no delira, soy derribado contra el suelo. Aplastado como un chicle bajo el pie de un gigante...

–¡Crío imprudente!

–Mmm... ¡Señor Pommier! ¡Cómo me alegro de verlo!

–¡No puedo decir lo mismo! ¡Habría podido matarte!

Le veo que baja un brazo. En la mano tenía un garrote listo para abrirme la cabeza.

–¡Creí que lo habías comprendido! ¡Una investigación criminal no es un juego, sino algo muy peligroso! Ahora mismo te llevo a tu casa.

–¡No! ¡Se lo suplico! Deje que me quede. Sólo esta noche...

El señor Pommier lanza un suspiro. Creo que va a ceder.

–Con usted no puedo correr ningún riesgo.

–Humm... Está bien. Hacemos una ronda y regresamos.

El señor Pommier actúa según un plan que ha establecido la noche anterior. Ya ha localizado las tumbas que podrían servir de escondite a los ladrones y que son, en total, una docena.

Se desliza entre las sepulturas y yo me pego a sus talones, inquieto a pesar de todo. Se detiene en los sitios precisos desde los que se puede vigilar mejor cada uno de los lugares.

Esperamos. Sin movernos. Silenciosos. Entumecidos por el frío. En mi cabeza hay un único pensamiento: nunca jamás seré policía.

Aún nos faltan cinco tumbas. No sé si podré aguantarlo. Un solo sopapo y me parto en dos como un carámbano.

–¿Listo? –me susurra el señor Pommier–. ¡Vamos!

Lo sigo tambaleándome. El siguiente escondite está situado… justo enfrente de la tumba de los Orasul. Siento que el temor me descongela de golpe. ¿Y si a Giulio se le ocurre salir? Esta vez, la espera es infernal. No paro de moverme de pura impaciencia.

–¿Por qué no nos vamos? Aquí no pasa…

–¡Chis! ¡Mira!

Dos sombras se acercan. Sin una vacilación, suben la escalera que conduce a la entrada de la

tumba. Pienso que quizá Giulio esté allí, detrás de la puerta. Y no me puedo aguantar:

–¡Tenemos que impedir que entren!

–¡Quieres hacer el favor de callarte!

Demasiado tarde. Las sombras nos han oído y dan media vuelta. El policía salta sobre ellas y, con dos movimientos de experto, derriba a una detrás de la otra. Luego les pone las esposas.

¡Yo doy saltos de alegría! ¡Los ladrones han sido atrapados! Me lanzo a felicitar al señor Pommier y… ¡papapocha! Me parece que las sombras son… ¡¡¡mi padre y mi madre!!!

5

¡Los ladrones son ellos!

Hemos vuelto todos a casa.

Mis padres tienen una bolsa de hielo en la cabeza. La pelota de ping pong que tenían hace un rato amenaza con convertirse en bola de billar.

El vecino está tan achantado y avergonzado que su estatura parece haber menguado por lo menos diez centímetros. En cuanto a mí… me gustaría desaparecer, esfumarme, ser invisible…

En vista de que ninguna de las tres cosas es posible, sugiero que vayamos todos a acostarnos, dada la hora que es. Pero mis padres creen que es más bien la hora de las explicaciones.

Así que el señor Pommier empieza a contarles mi visita, la petición que le hice y su negativa a seguir adelante con el plan. Les dice que él no es responsable de mi locura.

–Sin embargo, usted creyó su historia de ladrones –dice, asombrado, mi padre.

Entonces el vecino saca las joyas de su bolsillo. Yo ya me había olvidado de ellas. Pero mi madre las recuerda perfectamente. De hecho, casi se atraganta por la sorpresa cuando dice:

–¡Misssss jooooyas!

–¡Tus joyas! –exclama mi padre como si fuera el coro.

–¿Sus joyas? –pregunta para rematar el señor Pommier poniendo ojos de búho.

–¡Sin ellas no me habríais creído! –digo yo para defenderme–. En realidad, lo de los ladrones es una sospecha de Giulio y de sus padres que...

¡Hace falta ser idiota! ¡Vaya metedura de pata! Acabo de hablar de los Orasul delante del señor Pommier. Y para colmo, mi padre se apresura a decir:

–Ya sabía yo que esa gente era sospechosa.

Por su parte, mi madre me enseña la foto que me sacó Berubé.

–Esta fotografía es la que nos ha puesto en alerta. En cuanto la vimos, decidimos vigilarte. Incluso de noche.

–¿Quién tomó esta foto? –pregunta mi padre–. ¿Y qué cosa tan terrible estabas viendo para poner esa cara?

–¡Estaba viendo a Yannick Berubé! ¡A él es al que le tengo miedo!

–¿Seguro? ¿No sería más bien a esos vampiros?

–¡Vamos, papá! ¡Si ellos no salen durante el día!

–¡Justamente! Tú viste a los Orasul en pleno día y te asustaste. ¡Porque los ladrones son ellos!

El señor Pommier se ha quedado estupefacto. Y no deja de abrir más y más sus ojos de búho.

–¿Vam... vampiros, dice usted? –pregunta.

Mis padres no aguantan más y desembuchan todo lo que saben acerca de los Orasul. Quiénes son, dónde viven...

Este es el fin para Giulio y su familia. Serán expulsados en pleno día y morirán. Veré a mi amigo convertirse en humo.

Estoy furioso conmigo mismo y con mi egoísmo. Por querer conservar a mi amigo, lo he perdido. También estoy furioso con mis padres. Me han traicionado. Y estoy furioso con Berubé y su maldita fotografía.

Agarro la dichosa foto para hacerla mil pedazos y... ¡papapocha, acabo de comprender lo que quería decirme el abuelo!

Sobre su tumba debía haber una escultura del abuelo, pero ésta no aparece en la fotografía. Cuando él decía "Mírame", quería informarme de la desaparición de su estatua.

De inmediato les cuento a los demás mi descubrimiento, mis sospechas con respecto a Berubé. Seguro que fue al cementerio durante la noche para robar la escultura. Y fue su sombra lo que vieron Giulio y su familia.

¡El señor Pommier es bastante enrollado para ser adulto! No se ha reído ni ha hecho ninguna broma cuando ha oído hablar de la existencia de vampiros. Y ahora se muestra muy interesado, yo diría que entusiasmado, al escuchar mis revelaciones.

Mis padres están confusos y aturdidos, pero atienden a lo que les dice el policía. A un policía se le puede tomar en serio, mientras que a mí…

Según el señor Pommier, la realidad muchas veces supera a la ficción. Lo fantástico existe y se manifiesta en muchas partes, no sólo en las novelas. Y, al fin, tiene una oportunidad de comprobarlo.

Está dispuesto a localizar a los Orasul, a convencerlos para que no se marchen. Y promete no hablar de ellos a nadie y hacer cuanto esté en su mano para protegerlos.

Pero lo primero es resolver el misterio de las sombras. La escultura robada es una pista importante. Y el señor Pommier dice que ya tiene alguna que otra idea…

Esta mañana, el señor Pommier se ha apostado ante el salón de billar, ha interceptado a Berubé y lo ha traído a casa.

Mi verdugo está aquí, ante nosotros. Yo me río por dentro: el chico duro se va a rajar y… Pero no. El muy descarado tiene la insolencia de desafiar al policía:

–Usted me ha traído aquí a la fuerza. Y no tiene ningún derecho. Mis padres lo van a denunciar.

–Sí, y tú vas a ser el primero en ir a la cárcel –lo ataja el señor Pommier.

–¡Yo no he tocado a su querido vecinito! ¡Le ha mentido! Lo único que hago es meterle un poco de miedo, pero no es ningún crimen. Y no se va a la cárcel por eso.

–¡Pero por robo sí que se va!

–¿Dónde está la escultura de mi abuelo? –intervengo yo.

–¿Quién es tu cómplice? –prosigue el antiguo policía–. ¿Cuándo vas a volver a verlo? ¿Y dónde?

Berubé tiene la expresión de un completo idiota. Parece que no está entendiendo nada. Así que el policía le explica claramente:

–El hombre que te ha contratado es sin duda un traficante de obras de arte. Se dedica a robar las esculturas que hay en las tumbas y luego se las vende a algunos anticuarios. Actúa durante el invierno. De esa forma, los robos no son descubiertos hasta mucho tiempo después de ser cometidos.

Yannick Berubé jura que es inocente. Dice que lo único que ha hecho es tomar fotos y entregárselas a un profesor, un tipo barbudo con gafas gruesas.

–Eso tiene pinta de disfraz –concluye el señor Pommier–. Creo que no lo vas a volver a ver.

Berubé se enfurece mucho al oír esto, porque dice que aún no ha cobrado por su trabajo. El policía sigue con su reflexión:

–El tipo es astuto. Necesita rastrear a fondo el cementerio, pero no quiere llamar la atención. Por eso adopta una falsa identidad y contrata a un primo para que fotografíe los monumentos. De esa forma puede descubrir las esculturas que le interesan, y actuar durante la noche con total seguridad.

–¡Pienso volver! ¡Me debe dinero! –declara Berubé.

–Ni hablar. No quiero volverte a ver en el cementerio. A menos que quieras que ponga a tus padres al corriente de tus sospechosas actividades –lo amenaza el señor Pommier.

Y es la primera vez que veo a Berubé ponerse pálido. ¡Debe de tenerles un miedo espantoso a sus padres! Lo cierto es que promete estarse tranquilo y se va con la cabeza gacha.

Yo habría podido aprovechar para burlarme de él. Pero no he dicho nada. Incluso me ha dado pena. He mirado a mis padres y he sentido una gran oleada de amor hacia ellos.

6

¡Os lo habéis creído!

Desde hace dos días, Simon Pommier, mis padres y yo formamos un verdadero comando.

Hemos dibujado una cuadrícula del cementerio con el fin de anticiparnos al plan de acción del traficante. Tres monumentos han sido ya expoliados. Los otros se encuentran en las proximidades de la tumba de los Orasul.

La última noche, pues, limitamos la vigilancia a esa zona. No se presentó nadie. Yo aproveché para dejarle una nota a Giulio.

La nota estaba todavía allí esta mañana. ¡Es posible que Giulio y sus padres ya se hayan marchado! Ese pensamiento me deja sin fuerzas. Al borde de la desesperación, oigo que el abuelo me susurra:

"¡Miiiiira delante de ti, Leonaaaardo!".

Creo comprender sus palabras. Me está intentando decir que debo ir hacia delante, proseguir mi camino a pesar de las dudas.

También el señor Pommier trata de transmitirnos coraje. Y ha hecho la siguiente predicción:

–El traficante vendrá esta noche para concluir su tarea. Si espera un poco más, se arriesga a ser descubierto.

Tenía razón. Apenas hemos tenido tiempo de apostarnos ante la escalera de los Orasul, cuando vemos llegar a un hombre. El individuo se detiene, deposita un saco en el suelo y saca de él varias herramientas.

–Dejémoslo comenzar su trabajo –cuchichea el señor Pommier–. Así nos será más fácil sorprenderlo.

El hombre la emprende con la primera calavera. Intenta desprenderla de la rampa con la ayuda de un martillo y una espátula.

De pronto, una mano me agarra el brazo. Es mi madre que me indica que... ¡Papapocha!, la puerta de la tumba se está abriendo lentamente. El ladrón, enfrascado en su tarea, no se da cuenta de nada.

Sólo se le ponen los pelos de punta cuando surge de pronto una luz violenta.

Un coro de lamentaciones sale de la tumba. Luego, en medio de unas risas cavernosas, aparece una silueta negra.

Un segundo después, la silueta se despliega, como si fuera un inmenso murciélago. Sus ojos lanzan relámpagos de ferocidad. Y cuando encoge los labios descubre… unos largos y puntiagudos dientes.

El terrorífico ser abre del todo sus mandíbulas y desciende hacia el traficante, que se ha quedado petrificado. Pero en el momento en que va a atraparlo bajo sus alas, el ladrón consigue reaccionar: profiere un grito terrible y da un salto para ponerse a salvo. En medio de una carrera desenfrenada, vemos cómo desaparece su enloquecida y aullante figura.

Entonces vuelve el silencio y yo tomo conciencia de la situación. El señor Pommier parece hipnotizado por el monstruo. Mis padres están anonadados ante la presencia real del vampiro.

Yo mismo, lo confieso, estoy más cerca del desmayo que de otra cosa. Nunca me había imaginado al padre de Giulio con el aspecto de esa criatura terrorífica… que viene hacia mí.

Estamos todos bajo tierra, en el apartamento de los Orasul. Yo aún sigo en estado de *shock*. Lo mismo les pasa a mis padres. Y el señor Pommier no sale de su asombro.

Giulio se ríe con ganas.

–¡Os lo habéis creído! –dice–. ¡Os lo habéis creído! Ahora escuchad esto...

La señora Orasul pone en marcha un magnetófono y empezamos a oír el coro de lamentaciones junto a alguna que otra risa demencial. Al mismo tiempo, el señor Orasul alza su capa y muestra sus falsos dientes mientras las lentillas que lleva en los ojos emiten un brillo feroz.

–Tenía preparada esta especie de representación teatral para casos de extremo peligro –nos explica el padre de Giulio–. Pensé que, para protegernos, nada era mejor que interpretar hasta el final el papel de vampiro, en vista del miedo que provocamos.

–¿Decidió disfrazarse a causa de los ladrones? –pregunta el señor Pommier.

–Al principio, sí. Creí que querían entrar en la tumba. Después comprendí que lo que les interesaba eran las calaveras de la entrada. Están hechas de

marfil y son muy valiosas. Y si esta noche he decidido pasar a la acción, ha sido a causa de Giulio.

–Nuestro hijo se puso enfermo –continúa la señora Orasul–. Tuvo una subida muy alta de fiebre y no hacía más que delirar pronunciando una y otra vez el nombre de Leonardo. Finalmente, Giulio acabó por contárnoslo todo. Estaba desesperado porque pensaba que iba a perder a su único amigo.

–Hemos actuado así pensando en él –concluye el señor Orasul–. Y también en Leonardo, que ya había dado pruebas de su amistad hacia Giulio. No podíamos permitir que arriesgase él solo su vida por nosotros.

–¡Pero yo no estaba solo! –les digo–. Contaba con un aliado, el señor Pommier, que es un famoso policía. Y también con mis padres. Gracias a ellos hemos actuado con cabeza en esta investigación.

Mi madre recuerda con risas el porrazo que recibió en la suya. Pero mi padre no tiene ganas de bromear, más bien parece haber sido herido en su orgullo. Para disimularlo, trata de rebajar nuestro entusiasmo:

–No deberían cantar victoria tan pronto. El ladrón todavía anda suelto.

–Yo diría más bien que corre suelto. Se llevó tal susto, que aún debe estar huyendo como alma que lleva el diablo –dice el señor Pommier muy sonriente–. Y no parece nada probable que vaya a contar por ahí su aventura de esta noche, porque en tal caso tendría que dar muchas explicaciones. Además –añade dirigiéndose al matrimonio Orasul–, en adelante yo velaré por ustedes.

A mí me entran ganas de añadir: "Y el abuelo también". Después de todo, gracias a él conseguimos descubrir la actividad del traficante. Pero creo que eso complicaría las cosas: nadie sabe que él y yo hablamos.

–En cualquier caso, tendremos que ser prudentes –dice el señor Orasul.

Y estas palabras le dan a entender a Giulio que su padre tiene la intención de quedarse. Así que, loco de alegría, le dice:

–¡Prometido! Jurado y escupido: ¡ptff!

La madre de Giulio está horrorizada. La mía le explica que, fuera del cementerio, los jóvenes tenemos ciertas horribles costumbres que *blablablá*, *blablabá* y *blablablá*. Cosas de adultos…

Giulio y yo nos encontramos al fin. Chocamos las manos y nos damos un abrazo:

–Amigos para siempre…

–…para siempre de los siempres.

Un rodaje en el cementerio

El último mensaje

Último mensaje de Giulio Orasul dirigido a su amigo Leonardo Bolduc:

Leonardo:

¡Gracias! ¡Gracias! ¡Gracias! He encontrado la bolsita con polvos que depositaste en la urna. Ahora podré poner en marcha mi plan. Será el viernes cuando eche todo su contenido en la sopa de mis padres.

Quedamos citados durante el crepúsculo, ante la tumba de tu abuelo.

Giulio.

1

Viernes al mediodía – en el colegio

La jornada avanza a paso de tortuga mientras mis pies no paran de agitarse bajo el pupitre. Estoy super nervioso, ¡papapocha!

Esta noche ruedan una película de vampiros en el cementerio. Y Giulio se ha empeñado en asistir al rodaje.

Yo lo intenté todo para disuadirlo:

–¡Voy a estar muy ocupado! –le dije–. Marius, el dueño de la caravana-restaurante me ha contratado para servir las meriendas. ¡Además, tus padres no quieren que vayas! Creen que es muy imprudente y que no debéis correr riesgos inneces...

–¿Es que tú obedeces siempre a tus padres, Leonardo? Yo necesito tener mis propias experiencias. Tengo ganas de vivir, de estar con los demás, aunque sólo sea una vez.

–¿Y si alguien te viera salir de la tumba? ¿Y si os descubrieran a los tres por tu culpa? ¿Has pensado en las consecuencias? Tengo miedo por vosotros, Giulio.

–Yo también, pero mi miedo es menos fuerte que mi deseo. Tendré cosas para recordar el resto de mi vida, ¿es que no lo comprendes?

Claro que comprendo a Giulio. Su vida es tan triste y solitaria. Por eso me partía el corazón romperle su sueño:

–Todo esto que hablamos es inútil, Giulio. Tus padres no te van a dejar salir.

Sin embargo, Giulio ya había pensado en un plan, ¡papapocha!

Me lo explicó así:

–Muchas veces cocino para ayudar a mi madre. Haré una sopa y le pondré ajo.

–¡Ajo! –exclamé estupefacto–. ¡Quieres matar a tus padres!

Pero Giulio se tronchó de risa.

–¡El ajo no es mortal para los vampiros! –me explicó–. Pero a cada uno nos afecta de diferente forma. A mis padres, por ejemplo, les da un asco

tremendo y si lo prueban se quedan profundamente dormidos.

–Pero notarán el olor antes de comerlo.

–No si utilizo ajo en polvo. Lo pondré en el último instante. ¡Y ni una palabra de esto! Tus padres podrían advertir a los míos.

La verdad es que no debía haber cedido a las pretensiones de Giulio llevándole ese... veneno. Por eso ahora estoy tan nervioso y no paro de mover los pies.

–¡Leonardo! ¿Vas a dejar de bailotear de una vez? –me regaña mi profesor, el señor Rondeau.

–Si tienes miedo de los vampiros, quédate en casa esta noche –se burla Berubé, mi mortal enemigo.

En realidad, de quien tengo miedo, y mucho, es de él. Pero delante de los demás intento hacerme el valiente, y le digo:

–¡Después de haberte visto la jeta, Berubé, ya no se puede tener miedo a nada!

Todo el mundo se ríe a carcajadas. Y yo, crecido por mi éxito, añado:

–Y en cuanto a los vampiros, conozco a... conozco muchas cosas sobre ellos. ¡No son tan terribles!

¡Seré memo! ¡He estado a punto de traicionarme!

–Esta noche vas a conocer alguna cosita más –me advierte Berubé.

Ha sido contratado como figurante junto a otros habitantes de la ciudad. Y lo van a disfrazar de vampiro. Así que supongo que esa es su manera de decirme que va a intentar aterrorizarme de algún modo.

Por si no me quedara lo bastante claro, me lanza una mirada que parece una lluvia de flechas envenenadas y me dice en voz baja:

–Me vas a encontrar en tu camino, graciosete.

¡Papapocha! Tendré que andarme con cuidado. Cuando Berubé elige una presa, ya no la suelta. Es como un auténtico *pitbull*. Además, está intrigado por mis frecuentes visitas al cementerio, y ya me ha preguntado varias veces sobre el tema. Si alguien del pueblo no debe seguirme hasta la tumba de los Orasul, ese alguien es él.

Sin poderlo evitar, mis pies se ponen de nuevo a bailotear.

2

Durante el crepúsculo – calle próxima al cementerio

Tienes que llevar estos cafés a los dos protagonistas de la película y luego... ¡LEONARDO!

–¡Sí, sí, dígame señor Marius!

–¿Pero qué te pasa? ¿Por qué estás tan nervioso? ¿Es porque vas a conocer a VIRGINIA? La verdad es que hay que reconocer que esa actriz es endemoniadamente guapa...

Mientras Marius se entusiasma hablando de Virginia, veo cómo el cielo se va oscureciendo a través del tragaluz de la caravana-restaurante. El sol se acuesta sobre el lecho del horizonte y la hora del crepúsculo se acerca... ¡Papapocha, cuando quiero puedo ser todo un poeta!

–...y además tiene una forma de caminar, una manera...

–¡Señor Marius! Los cafés van a estar fríos si...

–¡Ah... sí, sí! Y no te olvides de tomarles el pedido a los que están en la sala de maquillaje.

Yo me lanzo hacia la caravana de los protagonistas y entro como un vendaval. Una mujer rubia me lo recrimina:

–¡Hay que llamar antes de entrar!

Es nada menos que... ¡Virginia! Aunque parece menos guapa que en las fotografías. ¡Y desde luego menos amable que en televisión!

Del fondo de la caravana surge algo que quiere parecerse a un vampiro, gritando:

–¡Soy Drácula, el Príncipe de las Tinieeeeeblas!

Yo ni me inmuto. Además, resulta bastante ridículo.

–¿No te doy miedo? –me pregunta todo decepcionado.

–Eh... pues no. Su disfraz es...

–¡Ya lo sabía! –estalla Drácula–. ¡Nadie ha querido hacerme caso! ¡Ah, pero ahora van a escucharme!

Yo salgo de allí silenciosamente. Los últimos rayos de sol se aferran a la tierra como si fueran

garras. Me dirijo hacia la caravana de maquillaje. Allí hay una docena de figurantes que son como otras tantas réplicas de Drácula. No reconozco a ninguno porque todos llevan máscaras.

Uno de ellos avanza hacia mí rugiendo amenazadoramente. ¡Berubé! Estoy a punto de salir corriendo cuando...

–¡Soy yo, Leonardo! –me dice el vampiro quitándose la máscara–. ¡Soy tu vecino, el señor Pommier!

Los otros se parten de risa. Está claro que creen que le tengo miedo a un monstruo de mentira. ¡Me han tomado por un idiota!

Entonces, el señor Pommier me dice bromeando:

–Si no quieres que los vampiros te hinquen el diente, encárgate de alimentarlos. ¡Tienes que traer patatas fritas y perritos calientes para todos!

Hay nuevas risas. Entre ellas, reconozco la risita burlona de Berubé.

Salgo de allí herido en mi orgullo, pero algo menos inquieto. Berubé estará ocupado con su trabajo y no podrá acosarme como a él le gustaría.

El crepúsculo ha pasado sin avisar. El cielo parece el fondo de un caldero carbonizado. No hay ni una estrella. Y la luna es apenas una raya metálica.

Echo a correr hacia el negocio de Marius. Le transmito el pedido, pero le aviso que será él quien vaya a entregarlo.

–Yo... ahora tengo un pedido más urgente: hay que llevarle una hamburguesa al director de la película –me dice.

–¡Una hamburguesa para el célebre Nicolaï Blanski! –exclamo–. ¡Ahora mismo se la llevo!

El director está en el cementerio, así que por fin voy a poder acercarme por allí. Espero que Giulio no haya cometido ninguna imprudencia.

3

Por la noche – en el cementerio

Esto sí que es suerte! El equipo de rodaje se ha instalado en el lado opuesto a la tumba de los Orasul.

Según llego, veo a Drácula gesticulando ante el director, que se lleva las manos a la cabeza. ¡Prefiero no acercarme con la hamburguesa! Se la daré a Giulio.

De camino, cruzo entre una horda de fantasmas. Uno de ellos me saluda haciendo un gesto con la mano. Sin duda debe ser alguien del pueblo.

Más lejos, un operario comprueba el funcionamiento de una máquina que lanza vapor. Varios técnicos montan una cámara en un carrito. Y hay otro que hace pruebas con un reflector.

¡CLAP!

¡De golpe estoy en medio de un círculo de luz! Me quedo paralizado por un instante, pero ense-

guida me escapo de allí. No es momento de llamar la atención. Todavía no he visto a Giulio. Debe estar esperándome en nuestro lugar de citas acostumbrado.

Compruebo una vez más que Berubé no me esté siguiendo, y me alejo rápidamente, contento de volver a la claridad aterciopelada de la luna. De pronto, doy un tropezón tremendo con algo misterioso que hay en mitad del sendero. Se trata de... ¡de unos raíles!

¡Ahora lo entiendo! Son para el carrito de la cámara. Así podrán deslizarla hasta la... ¡hasta la sepultura de mi abuelo! ¡Y que además está muy cerca de la tumba de los Orasul! ¡Papapocha! ¡También van a rodar algunas escenas por aquí!

Me pongo a escudriñar los alrededores. No hay ni rastro de mi amigo. Quizá haya cambiado de idea.

"¡Leonaaaaardo!"

¡Es el abuelo!

"Miiiiira en la uuuurna, Leonaaaardo."

–¿Hay un mensaje? ¡Debí habérmelo imaginado!

Meto la mano en la urna y...

–¿Me estás ocultando algo, Leonardo?

Me doy la vuelta de golpe. Una máscara de vampiro se inclina hacia mí. ¿Quién puede ser? ¿El señor Pommier? Pero no, él conoce a Giulio y sabe que nos escribimos.

–¡Así que le hablas a tu abuelo! Pero no es él quien te envía un mensaje... –dice con ironía la máscara.

¡Es Berubé! Él es el único que sabe que hablo con el abuelo desde que un día me sorprendió haciéndolo.

"Cuéntale cualquier cosa, razona con él", me aconseja el abuelo.

¡Pobre ingenuo! Se ve que hace mucho tiempo que no intenta razonar con los vivos. No es cosa fácil, y mucho menos con Berubé. La única manera de librarse de él es actuar deprisa. Le estampo la hamburguesa en la máscara, pero ha tenido tiempo de agarrarme del cuello y sus uñas de vampiro se hunden en mi carne como garfios.

–Esto es sólo un anticipo, antes de beberme tu sangre –me dice al tiempo que me da un fuerte empujón.

Yo ruedo por el suelo, aturdido y asustado. Berubé se dispone a meter su mano en la urna cuando...

–¡MUCHO CUIDADO! –grita una potente voz.

Berubé se frena en seco y da media vuelta. Yo hago lo mismo al tiempo que me levanto del suelo. El cementerio está completamente envuelto en niebla, pero en medio de ella destaca un fantasma. Un fantasma que empieza a levitar hacia nosotros esparciendo hilachas de bruma. Y que vuelve a hablar con su voz apocalíptica:

–Soy un mensajero de ultratummmba.

Luego alza un brazo vengador y nos amenaza:

–Aquel que hunda su mano en esa urna, desatará la cólera de los muertos y su voracidad.

Berubé, estupefacto, se mira sus propios dedos. El espectro sigue avanzando. Berubé retrocede… y echa a correr como alma que lleva el diablo.

Ahora estoy yo solo con el aparecido…

4

Calle cercana al cementerio – en el interior de un coche

Mi madre escucha el relato de mi aventura.

–...Entonces Berubé salió corriendo como un conejo. ¡Se hizo pis de miedo! ¡Delante de mí! Desde ahora ya no se hará tanto el fanfarrón.

–También tú tuviste miedo –me dice mi padre.

–Es que tu aparición en medio de la niebla fue algo tremendo...

–La máquina de vapor se estropeó –me explica–. Por eso había tanta bruma. Y tú deberías haber imaginado que era yo: incluso te había saludado con la mano.

–Creí que habías rechazado hacer de fantasma en la película...

–Eso dijo al principio. Pero se moría de ganas de ver a Vir-gi-nia –se burla mi madre.

–¡Nada de eso! –protesta mi padre todo colorado.

Y para disimular su malestar, vuelve a hablarme con tono severo:

–¿Se puede saber qué habéis tramado Giulio y tú?

¡El mensaje! Con todo este jaleo, ni siquiera lo he leído. Saco la nota de mi bolsillo:

Leonardo:
Lo había olvidado: el crepúsculo es la hora de nuestro desayuno. ¡No puedo ponerles ajo a los cereales! Lo utilizaré a la hora de comer. Cita a las 11 de la noche.

Mi madre y mi padre están horrorizados. Yo los tranquilizo en lo concerniente a los efectos del ajo sobre los vampiros. Y no tengo más remedio que contarles el plan de Giulio, haciendo constar mi total desacuerdo.

–Sí, mucho desacuerdo, pero tú le has procurado el ajo en polvo –me reprocha mi madre–. Tendrías que habernos avisado de las intenciones de Giulio. Sus padres y nosotros habríamos podido planificar su salida con todas las medidas de seguridad.

–Has sido un irresponsable, tanto más sabiendo que Berubé anda siempre pisándote los talones –añade mi padre–. ¡Hace un rato ha estado a punto de encontrar el mensaje de Giulio! Y bastaría cualquier pequeño incidente para desvelar la presencia de los Orasul.

Avergonzado, trato de minimizar la gravedad de la situación:

–¡Bueno, ya no habrá más riesgos! Cuando Giulio salga a las once de la noche, ya no habrá nadie. El rodaje habrá terminado…

5

En el cementerio – bajo los reflectores

¡Papapocha, son las once y media de la noche y el rodaje ni siquiera ha comenzado! Los preparativos no acaban nunca. Todos los actores están presentes, menos Virginia.

El director de la película les resume el argumento: es una guerra entre vampiros y fantasmas. Se va a rodar la escena del secuestro de Virginia. Los vampiros tienen que salir de sus sepulturas para defenderla.

Virginia llega por fin, completamente transformada. Como si fuera una criatura de otro universo, pálida y frágil. Alguien vocifera por un altavoz:

–¡TODO EL MUNDO A SU SITIO!

Los vampiros se dispersan. Y algunos se dirigen hacia… ¡la tumba de los Orasul! Mi madre y yo intercambiamos una mirada de preocupación.

–¡SILENCIO! ¡SE RUEDA!

–¡ESCENA 25! ¡TOMA 1! –anuncia la joven que maneja la claqueta.

–¡ACCIÓN! –grita el director.

Los fantasmas tratan de llevarse a Virginia, que se debate entre gritos:

–¡NOOO! ¡Socorro! ¡Sálvame, DRÁCULA!

El Príncipe de las Tinieblas surge de una tumba y lanza una llamada a sus súbditos.

–Eh, Leonardo –me susurra alguien al oído.

–¡Giu... Giulio! ¿Y tus padres?

–¡Están fuera de combate! He salido hace media hora. ¿No has recogido mi mensaje?

–¡Chis! Sí, sí, lo tengo.

–Te he estado esperando un buen rato, luego fui a la caravana de Marius. ¡Creí que estarías allí!

–¡A la caravana de Marius! ¿Y has hablado con él? ¡Tú estás loco!

–¡Sí! ¡Loco de placer! ¡De libertad! Estoy descubriendo la vida. Nuevas sensaciones. ¡Caminar entre la gente! ¡Comprarme unas patatas fritas! Es...

–¡Chiss!

–¿Por qué estás tan nervioso? Si nadie ha...

Giulio se interrumpe de pronto. Tiene los ojos desorbitados. Sin embargo, no hay nada inquietante alrededor. Sólo la escena de la película, que se continúa rodando:

Los fantasmas consiguen llevarse a Virginia. Salen fuera del campo de la cámara y se detienen

muy cerca de donde estamos nosotros. Virginia se suelta y recompone su larga cabellera rubia.

–Leonardo, ella es... es... absolutamente... ¡BELLA!

¡Ahora lo comprendo! Nada más ver a Virginia, Giulio ha quedado subyugado. ¡Igual que mi padre! ¡Igual que Marius! Me pregunto qué es lo que...

–¡AAAAAAaaaaaa...!

¡Qué grito tan espantoso!

¡El del grito era Drácula! Se ha caído accidentalmente en una fosa y se ha torcido un tobillo.

Enseguida ha acusado de negligencia a Blanski, el director, y se ha formado una terrible discusión.

El rodaje se ha interrumpido. Drácula y Virginia han vuelto a su caravana. Pero todos los demás deben seguir en sus respectivos lugares.

–¡Vamos, Leonardo! ¡Van a necesitar reponer fuerzas! –me dice el señor Marius.

–Pero... es que estoy... con mi amigo... y...

–¡No te preocupes por mí! ¡Tengo cosas que hacer! –exclama Giulio, y sale disparado.

–Tranquilo, que yo le acompaño –me dice mi madre al oído.

–¡Vamos, pues! Te doblo el sueldo –me dice el señor Marius–. ¡Hay muchos bocatas que servir! ¡Marchando!

Resignado, casi empujado por el señor Marius, empiezo a tomar nota del pedido del grupo que rodea a Nicolaï Blanski.

En una pequeña pantalla, el famoso director se dedica a visionar las escenas que han filmado. Ahora está viendo lo que ha rodado la cámara que está sobre el carrito: en la imagen aparecen dos vampiros que surgen de una fosa. Después se ve a... ¡AL PADRE DE GIULIO salir de su tumba!

–¡Stop! –grita Blanski–. ¡Ese figurante es fabuloso! ¡Qué forma de moverse! ¡Qué maquillaje! ¡Eso es un vampiro! Quiero verlo. ¡Que lo traigan ahora mismo! Ese otro Drácula de pacotilla va a enterarse de quién manda aquí.

¡Papapocha de recontrapapapocha!

6

Por la noche – junto a la caravana

Mientras el señor Marius cocina, yo analizo la situación sentado en la escalera de la caravana-restaurante.

El señor Pommier y mi padre han ido en busca del señor Orasul para hacerle regresar a toda prisa a su tumba.

Blanski quiere sustituir a su Drácula por el actor que ha visto en la pantalla, y ha estado media hora tratando de localizarlo.

Sin embargo, nadie lo conocía, y los habitantes del pueblo le aseguraron que jamás lo habían visto. Tampoco había sido contratado como figurante en el rodaje.

–Pero, entonces –gritó el famoso director–, ¿qué estaba haciendo ahí, saliendo de una tumba como un vampiro?

Así es como están las cosas. Si alguien lo encuentra, el señor Orasul va tener un serio problema.

–¡Leonardo! ¡Esto pronto estará listo! –me grita el señor Marius desde el interior de su cantina.

–Pero tú vas a morir antes si no me lo cuentas todo –dice una voz a mi espalda.

¡Beeerubééé! ¡Con toda esta excitación, he olvidado tomar precauciones! ¿Qué se estará cociendo ahora en su cabeza de *pitbull*?

–¿Todo qué... qué t-t-todo?

–¡No te pases de listo conmigo, Bolduc! Aquí hay varios misterios. ¡Y tú estás mezclado en todos ellos!

Yo lo que estoy es hecho un lío. Y asustado de narices. Y con el cerebro más bloqueado que un ciempiés que acaba de tropezar con noventa y nueve patas a la vez.

–¿A... a qué misterios te refieres, Berubé?

–¡Al de la urna, para empezar! ¿Qué había dentro?

Siento como si la cabeza me patinara, pero tengo que inventar algo.

–¿En la urna, dices? Eh... pues nada –le digo a falta de otra ocurrencia.

Pero no cuela. Berubé se acerca y me agarra del cuello.

–¡No me vengas con ésas, Bolduc!

–Yo quería... meter en ella... mi... hamburguesa.

–Claro, para alimentar a tu abuelo, ¿no? –se burla Berubé.

Lo cual me acaba de dar una idea. ¡Si quiere misterio, lo va a tener!

–Tú crees que estoy chiflado porque le hablo a mi abuelo. ¡Pues, para que lo sepas, él me contesta!

–Para creerte, tendría que oír su voz.

–Puede que la oigas. ¿Acaso no oíste al mensajero de ultratumba? ¿Es que a él tampoco le crees?

Hay que tener mucho cuidado con la cólera de los muertos.

–¡Qué mensajero ni qué niño muerto! –chilla indignado–. Un figurante que nos gastó una broma, eso es lo que era.

–¿Entonces por qué huiste espantado?

–¡Porque me pilló desprevenido! Pero luego lo comprendí todo.

–¡Eso crees tú! Pero no sabes nada acerca de los espíritus y del poder que tienen los muertos. ¡Claro que, si quieres, puedes comprobarlo! Bastará con que metas tu mano en la urna.

Después de esto, ya no habrá otro remedio: Giulio y yo tendremos que cambiar de buzón.

–¡Pues claro que voy a hacerlo!

–Allá tú, Berubé, yo ya te he avisado.

–¿Vienes o qué, Leonardo? –grita el señor Marius.

Me levanto, orgulloso de haberle cerrado el pico. Pero cuando estoy a punto de entrar en la caravana, el *pitbull* me tira del brazo y casi me lo arranca.

–¡Un momento! ¿Qué me dices del misterio del figurante? He visto a tu padre con él. Y luego han

desaparecido. Pero no han ido a ver a Blanski. ¿Por qué? ¿Quién es ese individuo? Me ha parecido un tipo muy extraño. ¿Por qué huye? ¿Es que tiene algo que ocultar?

Yo me quedo boquiabierto. Pero él aún no ha terminado.

–Todavía no le he dicho nada de esto a nadie –prosigue–. ¡Pero el silencio se paga, Bolduc! Quiero el dinero que vas a ganar esta noche. ¡Y quiero explicaciones! Después, ya veré lo que hago. Tienes treinta minutos. ¡Hasta pronto!

Yo sigo paralizado de estupor.

–¿ES QUE TE HAS MUERTO, LEONARDO? –aúlla el señor Marius.

Si lo estaba, su grito me ha resucitado de golpe. ¡No, aún no estoy muerto! ¡Así que espabila, Leonardo!

7

Por la noche – en el cementerio

No he visto a nadie: ni a mi padre, ni al señor Pommier, ni al señor Orasul. ¿Dónde se habrán metido? Quizá estén en la tumba...

¡Papapocha! ¡Acabo de ver a Giulio y a mi madre! Van hacia el plató de rodaje... ¡Y Berubé está allí! Por suerte está de espaldas.

Yo echo a correr y los desvío de su camino.

–¿Pero qué te pasa? –protesta mi madre.

–Mira –me dice Giulio con cara de alelado, enseñándome una foto de Virginia–. ¡Le he hablado!

Me dispongo a explicarles cuál es la situación, cuando llegan el señor Pommier y mi padre. Así que es él quien informa a Giulio:

–Cuando tu padre recobró el conocimiento estaba furioso contra ti, y también muy preocupado por lo que te pudiera pasar. Por eso salió a buscarte.

–Nosotros le informamos que lo habían filmado y que lo estaba buscando todo el mundo –añade el señor Pommier–. Entonces se refugió en vuestra casa. Allí nadie lo encontrará.

Yo tengo que darles la mala noticia:

–Berubé ha visto a mi padre con el señor Orasul.

Y entonces les cuento nuestra amistosa conversación.

–Hay que poner freno a su curiosidad –dice el señor Pommier zanjando la cuestión–. De lo contrario va a haber complicaciones. Pero, ¿qué es lo que puede detener a ese zángano?

–¡Yo lo sé! –exclamo–. El fantasma. El poder de los muertos…

Poco después me encuentro con Berubé junto a la tumba de mi abuelo.

–¿Tienes el dinero, Bolduc?

–Aquí tienes… todas mis propinas.

–¡Quiero también tu salario!

–¡Primero tendrá el señor Marius que pagarme!

–No irás a jugarme una mala pasada, porque entonces…

–Jurado… y escupido: ¡ptfff!

–¡Está bien! ¿Y qué pasa con el misterioso figurante?

–Pues eso, que es muy misterioso. Mi padre estaba asustado. Está dispuesto a encontrarse contigo, pero en un lugar discreto.

–¡Eso no me gusta nada, Bolduc!

Berubé parece dudar. Mira su reloj:

–Tenemos diez minutos –gruñe–. Espero que no esté muy lejos.

–¡Está aquí mismo! Sígueme.

Llevo a Berubé a la tumba de los Orasul. Llamo a la puerta, que se abre por sí sola. Entramos…

–¿Quién ha abierto la puerta? –pregunta Berubé con voz insegura.

Creo que está empezando a asustarse.

¡SHLACK!

La puerta acaba de cerrarse. Berubé se pone a gritar:

–¡Estamos encerrados! ¿Y tu padre? ¿Está por aquí? No veo nada. No me gusta este juego, Bolduc.

–Yo te juro que... Escucha... ¿No oyes?

De pronto se percibe un crujido en medio de la oscuridad. Berubé se pega a mí, revelando su miedo.

Un hilo de luz rasga las tinieblas. El ruido aumenta.

–¡Es el banco de piedra! ¡Está girando! ¿Es tu padre? ¡¡Contesta!! ¿Es él?

–Me... me parece que no.

Por la abertura, bañado en una luz lechosa, aparece el fantasma. Asciende hacia nosotros clamando:

–¡Soy el mensajero de ultratumba! ¡Desdichados los que no me han creído! La cólera de los muertos se ha desatado. He aquí al rey de los espíritus que viene a ejecutar la sentencia.

El fantasma retrocede y da paso a un personaje sencillamente... repulsivo.

Tiene la piel de la cara como escamosa y parece que se le cae a pedazos. Y su voz es chirriante, como oxidada, cuando dice:

–¡Toda esta gente del cine ha profanado mi reino y turbado el reposo de mis súbditos! Y

ESPECIALMENTE TÚ, que has osado entrar aquí –añade, apuntando con un largo dedo blanco hacia Berubé.

–¡Ha sido él! ¡Y su padre! Ellos me han…

–¡SILENCIO! Su suerte ya está en mis manos y sólo a mí me concierne… En cuanto a ti, tu curiosidad ha

ido demasiado lejos. Y va a costarte muy caro. Nadie puede desvelar la existencia de este lugar.

–¡Yo no diré nada! ¡Os lo prometo! ¡Dejadme salir! –suplica Berubé.

El fantasma y el rey de los espíritus se giran el uno hacia el otro y mantienen una especie de conciliábulo. Luego, al fin, el mensajero de ultratumba anuncia:

–Nuestro corazón no carece de piedad hacia los pobres seres vivos. Por ello, vamos a ser clementes contigo. Pero debes saber que, como humano, sólo tienes derecho a nuestra compasión una única vez.

El mensajero de ultratumba se acerca a Berubé, que está como petrificado. Levanta los brazos por encima de su cabeza y le dice:

–¡Que tus recuerdos mueran cuando salgas de esta tumba! ¡VETE! ¡Y no vuelvas nunca jamás!

La puerta de entrada se abre lentamente. Berubé camina algunos pasos hacia atrás sin apartar la mirada del fantasma. Luego se da la vuelta bruscamente y se larga a toda prisa.

–Me parece que ése no va a poner más los pies aquí. Y que tendrá la lengua bien sujeta –predice el fantasma, alias mi padre.

–¡Ya podéis venir todos! –grita el rey de los espíritus, alias el señor Orasul.

Giulio, su madre, la mía y el señor Pommier suben del apartamento subterráneo.

–Os habéis perdido una grandiosa escena de película –les digo–. ¡Estos actores sí que merecen un gran aplauso!

8

Algún tiempo después – en casa de los Bolduc

Estamos todos reunidos en mi casa, viendo en la televisión una entrevista que le hacen a Blanski. El famoso director está relatando sus disgustos y sinsabores:

–Aquel cementerio parecía estar maldito: la máquina de vapor se estropeó, el actor que hacía de Drácula tuvo un accidente, un joven figurante se volvió loco y abandonó el rodaje corriendo, un extraño personaje fue filmado por azar y luego desapareció misteriosamente...

–A propósito –le pregunta el señor Pommier al padre de Giulio–, ¿cómo es que su imagen pudo ser grabada? Yo creía que los vampiros no podían verse en fotos o películas.

–¡Esa es otra exageración propia de la leyenda! –responde el señor Orasul–. Evidentemente, es

difícil que aparezcamos en una foto. Dada la blancura extrema de nuestra piel, la luz no tiene dónde agarrarse. ¡Pero yo estaba vestido! ¡Habría hecho falta que estuviera desnudo para desaparecer casi por completo!

Mientras, en la tele, la entrevista prosigue:

–¿Se va a suspender la película? –le pregunta el reportero a Nicolaï Blanski.

–No, nada de eso, reanudaremos el rodaje pero en otro sitio.

¡Explosión de alegría!

Mi padre apaga el televisor y saca una botella de champán.

–¡Podremos de nuevo vivir en paz y completamente seguros! –se alegra la señora Orasul.

–Siempre que Giulio no cometa una nueva imprudencia –subraya con severidad su marido.

–En cualquier caso, no hay nada que temer por parte de Berubé –digo yo–. Ayer lo seguí hasta el cementerio, lo vi estirar la mano hasta la urna, dudar un buen rato y luego marcharse.

–¡El miedo! ¡Es el eterno poder de los muertos! –observa el señor Orasul.

Pero yo en este momento me acuerdo del abuelo. Y me digo que los muertos también tiene poderes buenos… si se les sabe escuchar con el corazón.

–¡Me alegro de ello! –dice mi padre–. Porque creo que no podría interpretar el papel de mensajero de ultratumba otra vez.

–¿Ni siquiera si fuera una escena con Virginia? –ironiza mi madre.

–A ti lo que te pasa es que estás celosa –se burla mi padre–. ¡Y sin embargo fuiste a verla con Giulio!

–Fui yo quien insistí –la defiende Giulio poniéndose colorado–. Quería una foto de Virginia.

–¡Te comprendo, muchacho! –exclama el señor Pommier–. ¡Ya lo creo que te comprendo!

–Pues yo no –interviene la señora Orasul–. Mi Giulio es todavía muy pequeño y...

Y *blablablá, blablablá, blablablá,* sigue la típica discusión de los adultos...

Giulio saca de su bolsillo la fotografía de Virginia. La mira un momento y luego la agarra como si fuera a romperla. Yo lo detengo:

–No lo hagas, Giulio. Luego te arrepentirás.

–He hecho bastante el ridículo, ¿verdad?

–¡Claro que no! Te has fabricado unos cuantos recuerdos. Todos tenemos necesidad de sueños. Y de amistad.

Giulio parece más convencido. Luego me dice:

–¿Entonces seguimos siendo amigos?

–¡Pues claro! Amigos para siempre…

–…de los siempres –concluye Giulio dándome un abrazo.

Índice